PHARE

HACHETTE

racines

gingko biloba **phytothérapie**

Ces plantes
qui nous veulent
huiles essentielles élixirs floraux
du bien
herboriste shii-ta-ké

2000 C'est environ le nombre de tasses de thé qu'un Anglais boit par an. Pour un Français, c'est seulement 75 à 80. ▶ 76

Les tepuis amazoniens, montagnes sacrées pour les Indiens, ont été découvertes récemment, certaines depuis moins de 50 ans.

9400 espèces végétales, dont 40 % sont inconnues sur le reste de la planète, y ont été dénombrées. ▶ 48

À ce jour, moins de **10%** des espèces végétales de la planète ont été sérieusement étudiées.

 47

La pharmacopée chinoise est riche de plus de **20 000** végétaux !

▶ 25

Le millepertuis : un antidépresseur naturel

Entre 1997 et 1998, les ventes de millepertuis, antidépresseur naturel, ont été multipliées par **100** aux États-Unis. Le millepertuis n'entraînerait d'effets secondaires que dans **19,8 %** des cas contre **52,8 %** avec les antidépresseurs chimiques.

L'état de **80 %** des patients déprimés soignés avec du millepertuis s'améliore en seulement **4** semaines.

 82

Les **huiles** essentielles ont de multiples **vertus** : cicatrisante, antivirale, antibiotique, anti-inflammatoire, diurétique, **digestive**, analgésique, **tonique**, laxative, fébrifuge, **sédative,** expectorante, antirhumatismale, **adoucissante,** vasoconstrictrice ou **vasodilatatrice**...

▶ 88

La phytothérapie n'est pas une médecine douce. C'est une médecine naturelle, mais elle peut être toxique et dangereuse.

 113

La phytothérapie indienne utilise plus de 3 000 espèces végétales dont certaines sont courantes en Occident et d'autres inconnues.

 31

La phytothérapie est la plus ancienne médecine du monde.

 14

Dernières nées de la panoplie phytothérapeutique moderne : les hormones végétales.

 47

3/4 des médicaments monde occidental

Le brin d'herbe le plus insignifiant cache peut-être un trésor thérapeutique qui pourrait se transformer en espèces sonnantes et trébuchantes pour le laboratoire qui met la main dessus.

 47

L'observation du règne végétal a donné le jour à l'un des médicaments les plus célèbres de la planète : l'aspirine.

17

Les médecines traditionnelles sont à la fois des thérapeutiques, des philosophies, des conceptions du monde auxquelles il convient d'adhérer avant d'emprunter les soins qu'elles proposent.

 34

Les scientifiques espèrent découvrir, dans l'immense réservoir des plantes inconnues, au fond des forêts tropicales, de nouveaux médicaments capables de soigner les maladies encore incurables.

 14

que nous consommons dans notre
ont issus de plantes.

Plutôt que
de fouiller
à l'aveuglette
dans l'immense
réservoir que
constituent
les forêts,
les laboratoires
s'adjoignent
l'aide
d'ethnologues qui
étudient d'abord
les pratiques
phytothéra-
peutiques locales,
délivrant ainsi les
premières pistes.

La connaissance
empirique
et l'usage
traditionnel
des plantes
sont confirmés
par les études
scientifiques.

L'OMS pousse les
gouvernements
à encourager
le recours à
des médecines
traditionnelles
afin que cette
connaissance
orale ne
s'éteigne pas.

Certaines plantes
contiennent plus
de 10 000
molécules
différentes. Il a
fallu pas moins
de 4,5 milliards
d'années à la
Terre pour
produire
une telle richesse
et une telle
diversité.

47

47

Dans la tradition chinoise, chaque plante est associée à une des cinq saveurs fondamentales : acide, amère, douce, piquante, salée. yin ou yang en Asie, plantes toniques ou plantes sédatives en Occident.

En Chine, les plantes sont yin ou yang, selon la qualité de l'énergie qu'elles dispensent.

Le chaman est le garant du caractère sacré des plantes. N'importe qui ne devient pas chaman.
Celui qui est destiné à cette tâche est averti par les esprits au cours de rêves ou de visions : il est choisi.

Selon des études réalisées sur des souris, par l'Université du New Jersey et le Japan National Cancer Research Institute, la consommation quotidienne de thé vert stopperait **87 %** des cancers de la peau, **58 %** des cancers de l'estomac et **56 %** des cancers du poumon.  76

« *Bien des plantes possèdent des propriétés guérissantes. Celles que je cherche sont les vraies plantes guérissantes. Leur œuvre est non d'alléger les souffrances mais de guérir et de ramener la santé dans le corps et dans l'esprit.* **»**

Edward Bach

D'un bout à l'autre de la planète, les plantes se sont vu attribuer les mêmes pouvoirs.

Aubépine, camomille, lavande, marjolaine, mélisse, passiflore, tilleul, valériane sont réputées pour leurs vertus antistress.

Les remèdes tibétains renferment des dizaines d'ingrédients : plantes, minéraux et même métaux précieux.

 31

Tout est bon dans les plantes : racines, écorce, tiges, feuilles, bourgeons, fleurs... Chaque partie est une véritable usine à produire des molécules biologiquement actives.

 72

Selon l'OMS, les deux tiers de la population mondiale environ a recours aux plantes pour se soigner.

 14

8750
espèces d'arbres tropicaux sont actuellement menacées d'extinction.

5000 m²
de la forêt tropicale et équatoriale disparaîssent chaque seconde.

SAVOIR

L'HISTOIRE DE LA PHYTOTHÉRAPIE, OU MÉDECINE PAR LES PLANTES,
DE LA PRÉHISTOIRE JUSQU'À NOS JOURS À TRAVERS LE MONDE :
LA MÉDECINE CHINOISE ET SON UTILISATION ÉNERGÉTIQUE DES PLANTES,
LA TRADITION CHAMANIQUE MAIS AUSSI LA MÉDECINE AYUR-VÉDIQUE, SANS
OUBLIER LA MÉDECINE OCCIDENTALE. ET POUR CLORE CE PANORAMA,
UN POINT SUR LES RECHERCHES ACTUELLES ET LES MÉDICAMENTS
DE DEMAIN.

La **phytothérapie** (du grec *phyton*, plante) est très certainement la plus ancienne médecine du monde ! Ses origines se perdent dans les lointains méandres de la préhistoire, lorsque quelqu'un, probablement une femme, eut pour la première fois l'idée de jeter une poignée de simples dans un chaudron d'eau bouillante pour soulager l'un de ses semblables. Aujourd'hui encore, dans le monde occidental, la majeure partie des médicaments est issue de plantes, qu'ils en soient directement extraits ou que des molécules végétales aient servi de modèle aux formules chimiques. Pourtant, après la découverte de certains médicaments fondamentaux (antibiotiques, sulfamides...), les plantes ont perdu de leur aura. Devenues pour beaucoup de simples remèdes de bonne femme aux vertus incertaines, une grande partie du monde médical et des patients s'en est un moment détournée.

LA PHYTOTHÉRAPIE OCCIDENTALE
S'ADAPTE AUX EXIGENCES DU TEMPS QUI PASSE

Les plantes changent de visage. De l'atmosphère poussiéreuse des officines d'herboristes à l'ambiance aseptisée des pharmacies et des parapharmacies, les plantes changent aussi de maison. Jadis, elles étaient entreposées dans des bocaux de verre, marqués de noms latins vaguement magiques, pour être vendues au poids dans des petits sachets de papier gris ou marron. À présent, elles sont commercialisées sous des formes qui les font ressembler aux médicaments chimiques : gélules, pommades, gouttes... Parfois même, elles abandonnent leurs noms originels pour des appellations plus modernes. D'autres civilisations (Chine, Inde...) ont conservé presque intactes les connaissances empiriques du passé, les enrichissant au fil des siècles. Aujourd'hui, les deux routes se rejoignent et c'est dans l'immense réservoir des plantes encore inconnues, au fond des forêts tropicales, que les scientifiques espèrent découvrir de nouveaux médicaments capables de soigner les maladies encore incurables. La très sérieuse Organisation mondiale de la santé (OMS) estime qu'environ les deux tiers de la population mondiale a recours aux plantes pour se soigner.

JARDIN DE SIMPLES

Des jardins consacrés uniquement à la culture de plantes médicinales sont cultivés depuis des siècles en France en particulier par des religieux. (Manuscrit français, XVᵉ siècle.)

IL ÉTAIT UNE FOIS UNE BELLE PLANTE, ÉLÉGANTE ET FINE...

Elle portait une couronne de fleurs blanches. Les botanistes l'avaient baptisée reine-des-prés. À ses côtés vivait un vieil arbre à l'écorce crevassée et parcheminée, le saule. Le vieux bonhomme et la belle se rencontrèrent par l'intermédiaire de deux chercheurs : un pharmacien français, Pierre Joseph Leroux (1795-1870), et un chimiste suisse, Löwig. Le premier s'intéresse à l'écorce de l'arbre et découvre, en 1827, qu'elle contient une substance appelée salicoside ou salicine,

capable de faire taire les douleurs, de calmer les inflammations et de soulager les fièvres. Le second se passionne pour la plante dans laquelle il détecte, en 1840, une substance voisine, l'acide salicylique. De la conjonction de leurs travaux naît, quelques années plus tard, l'acide acétilsalicylique, communément appelé aspirine. L'observation du règne végétal donna ainsi le jour à l'un des médicaments les plus célèbres de la planète. Bien souvent, la connaissance empirique et l'usage traditionnel des plantes se trouvent confirmés par les études scientifiques : la quinine, tirée de l'écorce de quinquina, apaise les fièvres tremblotantes du paludisme comme le fait la plante d'origine ; la digitaline, issue de la digitale, ralentit les battements du cœur de la même manière que la fleur...

TOUTE LA COMPLEXITÉ DU VIVANT AU SERVICE DE LA SANTÉ

Les plantes ne livrent pas toujours l'ensemble de leurs secrets aux chercheurs car elles portent en elles toute la complexité du vivant. Et les molécules extraites des végétaux ont un effet souvent plus radical, mais aussi plus violent que la plante elle-même. À l'intérieur du végétal, une multitude de principes actifs sont en interaction permanente, soit pour modérer certains effets secondaires, soit pour créer d'autres effets thérapeutiques. L'écorce de saule, par exemple, contient jusqu'à 10 % de salicosides que le corps transforme lui-même en acide salicylique. L'effet **analgésique**, **fébrifuge** et anti-inflammatoire est bien réel, mais la plante n'a aucun effet anticoagulant. Elle n'est donc pas contre-indiquée aux personnes souffrant de saignements, contrairement à l'aspirine. Quant à la reine-des-prés, elle n'entraîne aucune acidité gastrique et conviendra aux personnes souffrant de brûlures gastriques ou d'ulcère. Une étude sur des rats a même montré que sa fleur peut prévenir l'évolution des ulcères gastriques. En outre, pour certains pharmacologues, la complexité de la plante interdit aux germes (microbes, bactéries...) de s'adapter et de résister aux traitements, à l'inverse de ce qui se passe avec les médicaments. Ainsi, la quinine a peu à peu perdu de son efficacité, alors que la plante d'origine a conservé toutes ses qualités thérapeutiques, même si elles sont plus modestes.

Enfin, certaines plantes possèdent des vertus ayant résisté à toutes les analyses. L'eucalyptus, par exemple, est bien connu pour son action sur les maladies respiratoires et la molécule responsable de cette action, l'eucalyptol, a été isolée depuis longtemps. Or cette plante possède également un effet **hypoglycémiant** qui la rend efficace pour réguler les terrains diabétiques, mais personne n'est jamais parvenu à dénicher le principe actif responsable. C'est probablement un ensemble de substances qui agissent simultanément pour faire baisser le taux de sucre dans le sang. On parle alors d'effet synergique.

LE SAULE

Ses propriétés sont connues depuis longtemps. Il y a vingt-cinq siècles, Hippocrate préconisait déjà une tisane de feuilles de saule pour soulager les douleurs et les fièvres.

Ainsi, petit à petit, une distinction entre deux types de plantes s'est opérée : les héroïques et les douces. Les plantes héroïques contiennent un principe actif dominant, puissant, qui leur confère un effet incontestable sur une **pathologie** ou, au moins, sur une sphère organique précise. Ces plantes héroïques intéressent particulièrement les laboratoires qui mettent au point soit des extraits de plantes concentrant le principe actif, soit des médicaments contenant des molécules issues de ces principes actifs et ayant une action plus précise. Dans le premier cas, on parle de **phytothérapie d'extraction**, dans le second, de **phytochimie**.

Les plantes douces conservent jalousement leur secret car elles contiennent de nombreux principes actifs qui agissent ensemble, sans qu'aucun ne domine les autres. Leur action repose sur un effet synergique global. Elles intéressent surtout les tenants de la phytothérapie traditionnelle, qui prônent l'utilisation de la plante entière, le **totum**.

Attention, il ne faut pas se fier à l'appellation douce. La phytothérapie a été partie prenante dans l'explosion des médecines douces, mais il ne s'agit pas pour autant d'une médecine dénuée de toxicité. Certaines plantes peuvent s'avérer dangereuses et demandent à être maniées avec prudence. D'autres contiennent de véritables poisons. Dans tous les cas, il faut les utiliser en prenant moult précautions. Leur douceur est toute relative. Les drogues actuelles, dures ou douces, ne sont-elles pas, pour une large part, dérivées de substances végétales ? L'héroïne est extraite du pavot, la cocaïne tirée de la coca... et même le tabac et l'alcool sont issus de fruits ou de céréales. Cependant, ces végétaux possèdent de véritables effets thérapeutiques. C'est notamment le cas du cannabis.

Une étude en cours en Grande-Bretagne, portant sur un millier de patients, tente d'évaluer sérieusement l'action **thérapeutique** du cannabis. Les composants de la plante, qui agissent principalement sur le cerveau, font taire certaines douleurs (migraines, rhumatismes, douleurs dues au cancer ou à la sclérose en plaques), abaissent la pression oculaire (glaucome) et stimulent l'appétit (dénutrition des personnes âgées et des malades atteints du sida). Les études actuelles n'ont pas pour but de libéraliser le cannabis, mais de lui rendre les vertus thérapeutiques que son usage inconsidéré avait muselées, sans oublier que le cannabis possède aussi ses effets délétères : altération des réflexes, augmentation du rythme cardiaque et de la pression artérielle, syncopes, altérations neuronales possibles à fortes doses... Un usage thérapeutique raisonnable des plantes n'a rien à voir avec une libéralisation intempestive. Cette complexité, qui fait la richesse thérapeutique des plantes, fait en même temps toute leur ambiguïté.

MANUFACTURE D'OPIUM À PATNA, EN INDE

En Orient, l'usage de l'opium est très répandu. Il existe d'ailleurs des fumeries d'opium. En médecine, cette drogue est utilisée pour ses propriétés calmantes et apaisantes. (Gravure, XIXᵉ siècle.)

LA CONNAISSANCE ANCESTRALE DES PLANTES SERAIT-ELLE NÉE DE L'OBSERVATION DES ANIMAUX ?

Serait-ce en regardant les animaux que les hommes préhistoriques ont découvert qu'en entreposant la viande sur un lit de menthe sauvage, de basilic ou de romarin, ils amélioraient sa conservation et ralentissaient son pourrissement ? De même, ils se sont aperçus que ces plantes aromatiques atténuaient leurs malaises lorsqu'ils étaient amenés à manger de la viande avariée. Mais nous ne connaissons de leurs habitudes thérapeutiques que les bribes révélées par les traces retrouvées au fond de leurs abris. Il faut faire un saut de quelques millénaires pour avoir une vision plus précise de l'usage médicinal des plantes. Les Égyptiens ont laissé de nombreux papyrus sur lesquels sont exposés les fondements de leur médecine.

LES LEÇONS DES PAPYRUS ÉGYPTIENS

Les plantes sont au centre de la thérapeutique de l'Égypte antique. Les Égyptiens de cette époque savent déjà extraire les huiles essentielles des plantes aromatiques, dont ils font des onguents précieux. Ils utilisent largement l'orge, le houblon, l'aloès, le thym, le fenugrec... pour arrêter les hémorragies, cicatriser les plaies, réduire les fractures, faire tomber les fièvres... Ils rebouchent même les dents cariées avec des résines végétales. Cet arsenal naturel se déploie dans un cadre empreint de magie.

Des causes visibles et d'autres invisibles sont attribuées aux maladies. Les invisibles relèvent du jeu subtil entre le bien et le mal, l'ordre et le désordre du monde. Une pléiade de dieux est garante de cet ordre immanent : Horus, gardien de la santé ; Thot, maître de la médecine et de la magie ; Isis, déesse de la fécondité ; Sekhmet, qui provoque maladies et épidémies lorsqu'elle est en colère ; sans oublier Imhotep, conseiller du pharaon Djoser (vers 2800 avant J.-C.), qui jeta les bases d'une médecine nouvelle et fut vénéré comme dieu guérisseur. C'est pourquoi, les prêtres-médecins, en même temps qu'ils administrent les remèdes à base de plantes, psalmodient des formules magiques et des incantations rituelles destinées à rétablir l'ordre rompu.

HORUS

Ce dieu de la mythologie égyptienne, représenté sous les traits d'un homme à la tête de faucon était considéré comme le gardien de la santé. (Stèle sur bois, 900 av. J.-C.)

Cet environnement magique n'empêche pas les thérapeutes égyptiens de mettre au point des formules complexes dont la pertinence étonne toujours les chercheurs amenés à analyser les échantillons retrouvés dans les tombes pharaoniques.

HIPPOCRATE ET GALIEN : LES PRÉCURSEURS DE LA MÉDECINE MODERNE

Hippocrate, médecin grec, né dans la petite île de Cos vers 460 avant J.-C., a considérablement influencé notre médecine occidentale et est considéré comme le père de la médecine moderne. Il est le premier à donner des règles déontologiques à la profession médicale et à prôner une observation méticuleuse des faits avant d'avancer la moindre théorie, fermant ainsi la porte aux spéculations parfois fantaisistes de ses prédécesseurs. Il jette les bases de la clinique, en rendant indispensables l'interrogatoire et l'auscultation des malades. En outre, il est particulièrement soucieux de leur **hygiène** de vie et de leur alimentation, et prescrit abondamment des remèdes à base de plantes. L'usage traditionnel des plantes est déjà riche de siècles d'observations qui se sont transmises de bouche à oreille, de génération en génération. Les plantes sont mélangées pour créer des potions ou des onguents auxquels on ajoute parfois des substances animales ou minérales qui corsent les remèdes. Un disciple d'Hippocrate, Dioclès de Caryste, rédige le premier manuel d'herboristerie connu dans le monde occidental.

Côté plantes, Hippocrate poursuit donc le chemin de ses ancêtres. Cependant, c'est à partir de cette époque que le savoir des plantes commence à se structurer, à s'approfondir, prenant exemple sur la démarche hippocratique. Les plus anciens manuscrits botaniques illustrés datent du début de notre ère : *De Materia Medica* de Dioscoride, ou *Codex Anicæ Julianæ*, une version byzantine du texte précédent. Les plantes y sont dessinées, décrites, leurs effets thérapeutiques sont présentés et leurs actions délétères précisées. La transmission du savoir phytothérapeutique est à jamais changée.

Au début du IIe siècle, vers 131 après J.-C., naît à Pergame, un homme qui ajoutera sa contribution à l'histoire : Claude Galien. Ce médecin grec, mal aimé de ses contemporains qui le jugent vindicatif et orgueilleux, poursuit les observations rigoureuses d'Hippocrate et fait avancer les connaissances de l'anatomie en étudiant les gladiateurs et en osant disséquer des animaux. Comme Hippocrate, il utilise les plantes. Il accomplit une étude minutieuse des plantes et de leurs modes de préparation, qui reste connue sous le nom de pharmacie galénique. La galénique, un nom encore utilisé de nos jours pour désigner les différents modes de conditionnements auxquels les laboratoires actuels soumettent les plantes médicinales pour les commercialiser.

CHINE ANCIENNE : LA SIGNATURE ÉNERGÉTIQUE DES PLANTES

Pendant ce temps, de l'autre côté du globe, les Chinois expérimentent l'usage thérapeutique des plantes et en tirent une théorie médicale tout à fait différente. La médecine chinoise est l'une des plus anciennes du monde, certains textes remontant même à plus de 3 500 ans avant J.-C. Elle est tout entière articulée autour d'une notion inconnue de la science occidentale : l'énergie.

Dans la pensée chinoise traditionnelle, tout ce qui existe sur cette terre, vivant ou inerte, est lié à la notion d'énergie. Le monde lui-même est animé par cette énergie primordiale, ce flux insaisissable créateur de toute chose. Les hommes et les plantes, en tant qu'éléments de la création, sont ainsi réunis dans une conception globale cohérente de l'univers.

Cette énergie fondamentale possède une double polarité : yin et yang. Est de nature yin tout ce qui est fluide, froid, humide, passif, sombre, intérieur, d'essence féminine comme la Lune, la nuit, l'eau, l'hiver. Est de nature yang tout ce qui est solide, chaud, lumineux, actif, extérieur, d'essence masculine comme le Soleil, le feu, l'été. Le yin et le yang sont deux principes inhérents à la nature tout entière. Le premier est repos et le second, activité. Ils entretiennent des relations d'opposition, de complémentarité et d'alternance. Ainsi, le premier couple symbolique yin/yang

L'EMPEREUR FOU-HI

Dans son costume de feuilles, Fou-Hi avec, entre les mains, le yin et le yang.
(Aquarelle tirée d'un pen-ts'ao, recueil de plantes médicinales, fin XVIIIᵉ-début XIXᵉ siècle.)

est le couple Terre/ciel : la Terre est ferme, dense, lourde, opaque, obscure tandis que le ciel est inconstant, subtil, léger, translucide, lumineux. Chez les êtres vivants, humains et animaux, le couple mâle/femelle incarne cette dynamique.

À l'intérieur du corps, le même scénario se joue : lorsqu'un organe devient trop yin, cela entraîne un ralentissement du métabolisme physiologique (ralentissement des battements cardiaques, de la digestion, sensation de froid, pâleur...). À l'inverse, s'il devient trop yang, cela suscite une accélération du métabolisme physiologique (accélération du cœur, sensation de chaleur, hyperactivité physique et mentale...). Les deux principes opposés et complémentaires du yin et du yang doivent rester équilibrés. Ce bon équilibre maintient la vie et assure la santé.

L'énergie vitale qui traverse l'être humain, le nourrit et le garde en vie, circule dans le corps humain le long de canaux appelés méridiens. Si cette circulation est harmonieuse, fluide, régulière, l'individu est en bonne santé. Mais, si elle s'accumule en certains endroits et manque à d'autres, des troubles se manifestent. Pour réguler cette circulation énergétique, les Chinois disposent de plusieurs armes : la méditation, l'alimentation, l'acupuncture et surtout les plantes. La pharmacopée chinoise est riche de plus de 20 000 végétaux ! En Chine, les plantes sont surtout administrées sous leur forme naturelle. Les médecins chinois prescrivent des mélanges de plantes séchées (feuilles, fleurs, tiges, racines...), que le patient fait préparer par un pharmacien et qu'il utilise le plus souvent en décoction. Il existe également des extraits secs de plantes, vendus en poudre ou façonnés en pilules et en comprimés qui reprennent des formules célèbres.

LE JEU SUBTIL DES SAVEURS : TROUVER LA PLANTE CAPABLE DE RÉÉQUILIBRER UNE RUPTURE ÉNERGÉTIQUE

Les plantes sont d'abord classées en fonction de la qualité de l'énergie qu'elles dispensent : yin ou yang. Une plante yin a la propriété de disperser, d'évacuer, de calmer, d'endormir, de refroidir... Elle ralentit les réactions de l'organisme. On l'utilise donc pour calmer les excès de yang. À l'inverse, une plante yang tonifie, stimule, suscite des sécrétions, réveille, réchauffe... Elle accélère les réactions du corps. Elle servira à calmer les excès de yin.

Les plantes sont ainsi reconnues et classées selon qu'elles tonifient ou dispersent l'énergie des organes principaux : le foie, le cœur, la rate, le poumon et le rein. Autres vertus énergétiques des plantes, leur capacité de régulation du chaud et du froid. Certains remèdes végétaux réchauffent, alors que d'autres refroidissent l'excès de chaleur dans le corps. De même, certaines plantes assèchent les excès d'humidité lorsque les sécrétions sont trop abondantes ou, au contraire, humidifient un organisme trop asséché.

Dernier aspect : la saveur des plantes. Dans la tradition chinoise, on attribue à tout ce qui pousse dans la terre une des cinq saveurs fondamentales : acide, amère, douce, salée, piquante.

Chacune est reliée à l'un des cinq organes fondamentaux : le foie aime la saveur acide, le poumon la saveur piquante, la rate la saveur douce, le cœur la saveur amère et le rein la saveur salée. Et comme, dans la conception médicale chinoise, ces cinq organes sont les chefs d'orchestre de l'équilibre organique, un ajustement des saveurs et des plantes suffit, théoriquement, à rétablir les déséquilibres. Ainsi, un excès de yin au niveau du foie est soigné par une plante d'énergie yang et de saveur acide. Si c'est un excès de yang au niveau du cœur, le médecin prescrit une plante yin de saveur amère.

Ce système de classification permet aux médecins traditionnels chinois d'adapter de façon très fine le choix thérapeutique, en fonction du diagnostic. Il était tentant de vérifier si cette approche énergétique pouvait déboucher sur des applications proches des conceptions occidentales. Malheureusement, les plantes de la pharmacopée chinoise sont très différentes des nôtres. Aussi, certains médecins occidentaux pratiquant la médecine chinoise ont tenté de classer les plantes médicinales occidentales selon la méthode chinoise traditionnelle.

UN PONT ENTRE ORIENT ET OCCIDENT

Dans les textes anciens de phytothérapie, les plantes occidentales sont classées en cinq catégories qui recoupent la classification chinoise. Les grandes classes pharmacologiques sont : les plantes contenant des acides organiques (saveur acide), celles contenant des alcaloïdes (saveur amère), celles contenant des mucilages et des acides gras (saveur douce), celles contenant du fer ou du soufre (saveur piquante), celles contenant des sels organiques (saveur salée).

Il en est de même de la notion d'énergie yin et yang, qui flirte avec les notions occidentales de plantes toniques par opposition aux plantes sédatives. On peut également opérer un classement yin/yang en fonction de l'action qu'opèrent les plantes sur le système nerveux autonome. Il est fait de deux branches : le système nerveux sympathique

LES TROIS SAVEURS
Bouddha, Lao-Tseu et Confucius, réunis autour d'une jarre de vinaigre, essaient d'en déterminer le goût. Le premier le trouve amer, le deuxième aigre et le troisième doux.

qui active et stimule les fonctions vitales (l'accélérateur) ; le système nerveux parasympathique qui les tempère (le frein). Une plante est donc yang si elle stimule le sympathique et yin si elle stimule le parasympathique.

À la lumière de cette classification, il suffit de comparer les indications habituelles de nos plantes et leur signature énergétique. Prenons l'anémone pulsatille, plante yin de saveur acide. En Chine, on l'utiliserait pour calmer les excès de yang du foie. En Occident, elle est traditionnellement prescrite pour lutter contre les tachycardies, les névralgies, les migraines, les spasmes bronchiques, les rhinites allergiques, les règles douloureuses, l'anxiété, les phobies... Or, c'est par ces mêmes symptômes que, selon la médecine chinoise, se manifeste l'excès de yang du foie !

Un autre exemple : la camomille. Selon la classification chinoise, elle serait yang de saveur douce. En Chine, elle serait donc indiquée pour calmer les excès de yin de la rate. En Occident, elle soigne à la fois le manque d'appétit, les douleurs chroniques d'estomac, la fatigue, l'anémie, le manque de globules blancs, l'absence de règles... Autant de signes qui, pour un médecin chinois, révèlent un excès de yin de la rate ! Ainsi, ces deux conceptions du vivant, éloignées de plusieurs siècles et de milliers de kilomètres, se rejoignent bel et bien ! Comme si la vérité des plantes se manifestait toujours aux hommes, quelles que soient les voies qu'ils empruntent pour percer leurs secrets.

LA TRADITION AYUR-VÉDIQUE, UN ENSEMBLE DE PRATIQUES PROPHYLACTIQUES ET THÉRAPEUTIQUES TOUJOURS LARGEMENT SUIVIES EN INDE

Un peu plus à l'ouest, une autre tradition médicale se développe : la médecine ayur-védique, art médical traditionnel de l'Inde ancienne. Littéralement, ayur-véda signifie science de la vie. « Tout ce qui se trouve dans l'univers se trouve dans l'être humain, dit l'un de ses textes fondateurs, et tout ce qui se trouve dans l'être humain se trouve dans l'univers. » Cette démarche place l'homme au centre de son environnement. C'est avec lui et grâce à lui que l'individu peut trouver la voie de l'équilibre. Car l'homme, comme tout ce qui l'entoure, n'est qu'une des nombreuses matérialisations de l'énergie primordiale.

PHARMACIE CHINOISE
Tiroirs et pots en abondance sont indispensables pour ranger les innombrables remèdes de la pharmacopée chinoise, parmi les plus anciennes du monde.

La médecine **ayur-védique** ne se contente pas de soigner les maladies. Son objectif est la santé totale : physique, affective, mentale et spirituelle. Pour y parvenir, le médecin ayur-védique ne concentre pas son attention sur la maladie, mais sur le malade. Il dispose pour cela d'un système de constitutions, les doshas. La médecine ayur-védique s'emploie à déterminer le **terrain** de base d'un individu. Comme l'homéopathie, elle se réfère à des constitutions. Trois doshas (vatta, pitta ou kapha) sont présents dans tout être vivant. S'ils sont en parfait équilibre, le sujet est en excellente santé. Dès que l'un des doshas prend exagérément le pas sur les deux autres, la maladie peut s'installer...

Le recours aux plantes est omniprésent dans la médecine traditionnelle indienne. Leur administration est soumise à des lois précises. D'abord les horaires. On ne prend pas n'importe quel remède à n'importe quelle heure. Chaque heure de la journée correspond à l'un des cinq éléments symboliques : l'eau, le feu, la terre, l'air et l'éther (l'impalpable). L'heure du brahmane, par exemple, deux heures avant le lever du soleil, est idéale pour se lever. C'est une heure de type air. Le mental est alors particulièrement calme. Ce moment de la journée stimule l'élimination. Aussi, il est conseillé de boire un verre d'eau à jeun, au lever, puis de prendre des plantes visant

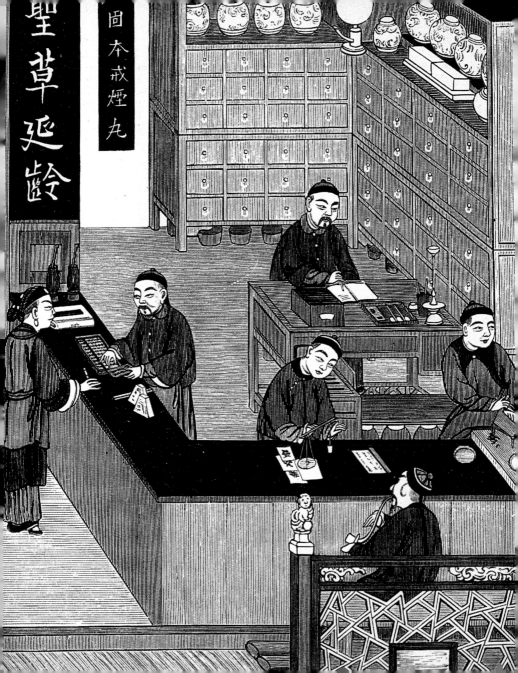

à accentuer l'élimination. Lorsque le soleil se lève, l'air cède la place à l'eau. Lorsqu'il monte au zénith, c'est l'heure du feu, de l'énergie. Des plantes toniques, énergisantes, stimulant les fonctions organiques déficientes sont alors préconisées.

La phytothérapie indienne utilise plus de 3 000 espèces végétales dont certaines sont courantes en Occident (ail, gingembre, safran, cannelle...) et d'autres inconnues (amalaki, haritaki, neem...). D'après la tradition, ces plantes agissent simultanément de plusieurs manières selon leur substance matérielle, leur saveur (comme pour les Chinois), les propriétés que leur donne la digestion... Dans tous les cas, elles ont pour but de réharmoniser les doshas dont l'équilibre perturbé est à l'origine de la maladie.

La galénique ayur-védique est plus riche que celle de la tradition chinoise. En Inde, on utilise des jus de plantes (*swaras*), des pâtes végétales (*kaika*), des décoctions (*kashyas*), des macérations (*hiema*) et des infusions (*phanta*). On trouve aussi des préparations associant plusieurs plantes sous forme de poudres ou de gélules. Ainsi, l'un des remèdes phares de la médecine ayur-védique, le triphala, associe trois plantes locales qui permettent à la fois de réguler les doshas, de régénérer le côlon, de normaliser la digestion et le métabolisme et d'éliminer les toxines.

Enfin, les massages tiennent une place importante dans cette médecine, ainsi que l'alimentation et la méditation. Les massages sont réalisés avec des huiles végétales enrichies d'essences : une autre façon de bénéficier des bienfaits des plantes !

LA MÉDECINE DU TOIT DU MONDE

Aux frontières de l'Inde, sur les hauts plateaux himalayens, dans un petit pays isolé sur le toit du monde, une étonnante synthèse médicale a vu le jour. La médecine tibétaine s'est largement inspirée de sa voisine indienne. Au fil des siècles, elle s'est également enrichie des influences environnementales : Chine, Empire perse..., sans oublier les pratiques chamaniques des populations locales. Il est sorti de ce creuset un mélange à forte connotation spirituelle, dans lequel les plantes tiennent une place très importante. La flore des hauts plateaux présente une grande diversité et les espèces sont préservées de toute agression, de toute pollution. Ces plantes sont utilisées en infusion, en décoction et en macération, mais surtout sous forme de petites pilules fabriquées de façon artisanale. Les remèdes tibétains renferment des dizaines d'ingrédients : plantes, minéraux et métaux précieux. On trouve ainsi dans certaines pilules de l'or, de l'argent, de la turquoise, du corail... associés à de nombreuses plantes dont les effets conjugués doivent soulager les maux que les pratiques spirituelles n'ont pas réussi à guérir. Car le noyau de la médecine tibétaine reste la recherche des véritables causes de la maladie. Et celles-ci sont à traquer très

MASSAGE DES PIEDS
Un moment de grande détente : le massage des pieds. Dans la médecine ayur-védique, des huiles à base de plantes sont fréquemment utilisées pour des massages.

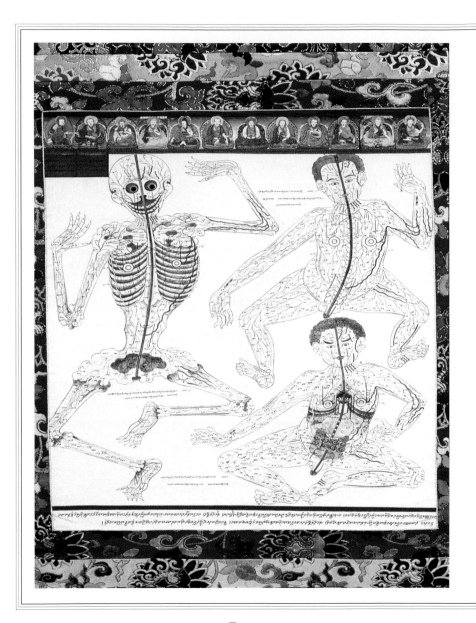

loin dans le passé, puisque les Tibétains, en tant que bouddhistes, croient à la réincarnation. Il n'est donc pas rare d'en référer à une vie antérieure pour expliquer un symptôme qui résiste à tous les traitements !

Presque anéantie par l'invasion chinoise, la médecine traditionnelle tibétaine a été préservée par quelques praticiens qui ont jalousement gardé leurs secrets. En fait, elle a été sauvée par son efficacité ! Malgré les antagonismes, les Chinois vivant au Tibet ont fini par avoir recours aux services des rares thérapeutes encore vivants, comme Tendzin Choedrak, médecin du dalaï-lama, qui a passé des années dans les geôles chinoises. Il a ainsi été amené à guérir des hauts gradés chinois qui l'ont, ensuite, autorisé à entamer une vaste recherche pour regrouper les textes traditionnels encore existants. Il vit aujourd'hui dans le nord de l'Inde, où la communauté tibétaine en exil fabrique des pilules de plantes selon des recettes ancestrales.

MÉDECINE TIBÉTAINE

Cette médecine à forte connotation spirituelle, basée sur l'utilisation des plantes, traverse aujourd'hui une période plus sereine après avoir connu des temps difficiles.

Cet infatigable pèlerin de la médecine tibétaine participe chaque année à des congrès médicaux où il expose les résultats des travaux menés sur les plantes dans le centre de recherches de Dharamsala, travaux qui souvent étonnent la communauté scientifique internationale.

LE CHAMANISME : L'ESPRIT DES PLANTES

En marge de ces démarches médicales plus ou moins rationnelles, des ethnomédecines empreintes de magie ont continué à exister sur tous les continents. Dans toutes ces pratiques, la maladie se manifeste dans le monde visible à cause d'un problème survenu dans le monde invisible, dans le royaume des esprits. Pour soigner, il faut donc avoir recours à un intercesseur capable de communiquer avec cet « au-delà » du réel. C'est le rôle du sorcier ou du chaman.

Les plantes ne sont alors pas utilisées pour leurs vertus curatives physico-chimiques, mais parce que leur « esprit » peut intercéder en faveur du malade, ou parce qu'elles sont capables d'aider le chaman à changer son propre état de conscience pour entrer en relation avec les esprits. Au cours de cérémonies rituelles, des plantes hallucinogènes sont absorbées, encadrées de pratiques symboliques, pour favoriser cette communication indispensable à la guérison.

Dans la conception chamanique de l'univers, toute chose existante est animée d'un esprit : la Terre, le Soleil, les étoiles, les pierres, les animaux, les plantes... Ces esprits sont comme l'essence vivante des choses. Ils sont dotés d'une vie propre, autonome. Ils peuvent œuvrer pour le bien des hommes ou provoquer leur malheur par la malchance, la maladie, la folie. Le chaman fait partie intégrante de cet univers caché derrière l'apparence des choses.

Les plantes sont utilisées par les chamans de multiples façons. Chez les Indiens d'Amérique du Nord, elles participent aux cérémonies qui se déroulent dans les loges à sudation, sortes de tentes surchauffées avec des pierres rougies sur le feu. La personne y pénètre nue afin que la transpiration la lave, corps et âme, de toutes ses impuretés. Des herbes sont brûlées dans la tente, notamment de la sauge, dont l'esprit participe à cette purification. C'est un préalable indispensable à d'autres rituels qui exigent que l'on se présente aussi innocent qu'un enfant qui vient de naître. Selon les pays, les plantes sont soit mâchées, soit pilées dans un mortier, soit pulvérisées et soufflées, soit brûlées... Parfois, le chaman soigne en chantant le nom des plantes. Mais toujours il doit respecter leur caractère sacré.

Cette tradition, encore bien vivante dans certaines contrées, comme la Sibérie, malgré les coups de boutoir répétés de la civilisation, se transmet oralement de maître à disciple, avec un immense respect de la connaissance des anciens. Ainsi s'est peu à peu développée une connaissance botanique extrêmement riche, sur laquelle la science actuelle se penche avec beaucoup d'intérêt dans l'espoir d'y puiser la matière de nouveaux médicaments. À tel point que l'OMS a, à maintes reprises, demandé aux gouvernements d'encourager le recours à ces médecines traditionnelles afin que cette connaissance orale ne risque pas de s'éteindre...

PENDANT CE TEMPS EN EUROPE...

Médecine chinoise ou ayur-védique, tradition chamanique, médecine sioux... Toutes ces démarches se sont développées lentement, sans heurts, chaque jour venant enrichir les connaissances acquises sans jamais les remettre en question. Ce sont à la fois des thérapeutiques et des philosophies, des conceptions du monde auxquelles il convient d'adhérer avant d'emprunter les soins qu'elles proposent.

Toute différente est l'évolution de la médecine occidentale. Toujours soucieuse d'exactitude et de précision, elle a connu des ruptures et négocié des revirements. Pendant le Moyen Âge, les connaissances anatomiques n'évoluent pas puisqu'il est interdit par l'Église de se livrer à la dissection des cadavres. Les médecins en restent donc aux conceptions d'Hippocrate et de Galien. Et les guérisseurs des campagnes continuent d'appliquer les anciennes recettes à base de plantes. Au fil des siècles, un fossé commence à se creuser entre les pratiques thérapeutiques quotidiennes et les découvertes médicales d'une élite scientifique. À mi-chemin entre ces deux extrêmes, des individus se sont particulièrement intéressés aux plantes.

Hildegarde de Bingen reste l'une des grandes figures monastiques du Moyen Âge. Née en 1098 dans une riche famille de la région de Mayence, en Allemagne, elle prononce ses vœux à l'âge de 14 ans. Une vocation précoce qui ne se démentira pas jusqu'à sa mort, à près de 80 ans. Toute

LE GUÉRISSEUR

Celui qui est destiné à être chaman est averti par les esprits au cours de rêves ou de visions : il est choisi. Il est ensuite initié auprès d'un chaman vieillissant dont il reprendra la place (Georges Catlin, Les Indiens d'Amérique du Nord, 1848.)

sa vie, elle se dit habitée de visions, de prémonitions, d'apparitions. Et toute sa vie, elle s'acharne à interpréter ces signes pour en extraire un message cohérent qu'elle diffuse dans de nombreux écrits, dont une matière médicale largement consacrée aux plantes, le *Physica*.

Pour Hildegarde de Bingen, l'homme, chassé du Paradis, est devenu vulnérable aux choses de la nature : le vent, la pluie... Et, comme elle fait confiance à la bienveillance du Créateur, elle estime que l'homme, cet être affaibli, doit trouver, au sein de cette nature, de quoi guérir tous ses maux. Elle délivre une liste impressionnante de recettes végétales complexes et soumises à des règles de préparation strictes, d'essence religieuse : tisanes, mais aussi fumigations, enveloppements, extraits subtils de fleurs... Elle se réfère même à des plantes venues d'Extrême-Orient, comme le galanga, encore inconnu à l'époque en Occident, pour lequel elle indique des applications tout à fait conformes à ce que l'on en sait aujourd'hui. Dans le contexte médical approximatif de l'époque, son travail fait figure d'œuvre prémonitoire par son sérieux et sa grande précision.

PARACELSE OU LA THÉORIE DES SIGNATURES

Trois siècles plus tard, vers 1493, naît Paracelse. Ce Suisse, à la fois médecin et alchimiste, est à l'origine d'une théorie qui étonne encore aujourd'hui. Selon lui, la nature fournit à l'homme le mode d'emploi des plantes. Il suffit d'observer la forme des végétaux, leur couleur, le lieu où ils poussent... pour en déduire les applications que l'on peut en tirer.

Un exemple : le saule (encore lui !). Cet arbre pousse dans les zones humides, au bord des étangs et des marais. Il doit donc soigner les maladies provoquées par ces régions. C'est pourquoi, Paracelse préconise le saule pour apaiser les rhumatismes et les fièvres. Un usage confirmé par la science qui y a découvert l'un des constituants principaux de l'aspirine. Le colchique, dont le bulbe ressemble à un orteil touché par la goutte, devait, selon la même logique, soigner cette maladie. Et le colchique possède bel et bien un principe actif capable de soulager les atteintes de goutte. De la même manière, la rhubarbe, préconisée aujourd'hui encore pour favoriser les sécrétions biliaires, possède un suc jaune comme de la

PARACELSE

Les plantes « signent » leur usage. « Tout ce que la nature crée, écrit Paracelse, elle le forme à l'image de la vertu qu'elle entend y attacher. » (Gravure, XVIe siècle.)

bile. Cette confiance aveugle en l'existence d'un ordre naturel se résume en une formule *similia similibus curantur* (le semblable soigne le semblable), une maxime qui se trouve à la base de la théorie des signatures et de la médecine homéopathique. En effet, Samuel Hahnemann, qui a mis au point la médecine infinitésimale à la fin du XVIIIe siècle, soigne aussi par le semblable. Et c'est d'ailleurs le sens du terme homéopathie qui vient du grec *homoios* (semblable) et *pathos* (maladie).

HAHNEMANN : L'INTUITION DE L'INFINIMENT PETIT

Comme Paracelse et Hildegarde de Bingen, Hahnemann (1755-1843) pense que Dieu, force essentiellement bienveillante, a mis à la portée de l'homme de quoi soigner tous ses maux. Charge à celui-ci de trouver le chemin de ce savoir caché : « Il y a quelque chose qu'il faut trouver et qui crève les yeux, écrivait-il. Dieu n'a pas oublié de donner ce qu'il faut pour combattre le mal, c'est impossible ! C'est Dieu qui fait mûrir les moissons. Pourquoi ne nous accorderait-il pas la santé par les mêmes éléments d'air, de lumière et d'eau qui font fructifier les récoltes ? » Pour Hahnemann, le chemin est long et douloureux. Jeune homme intelligent, il choisit à 19 ans la voie médicale. Il vit alors en Saxe où il est né. Mais la médecine de l'époque lui semble empreinte d'obscurantisme et de charlatanerie. « Les médecins sont étranges, confie-t-il. Ils introduisent des remèdes qu'ils ne connaissent pas dans des corps qu'ils connaissent moins encore. » Il a soif de recherches, de connaissances, de science.

BOUTIQUE D'APOTHICAIRE

Dès le Moyen Âge, les plantes étaient vendues pour être utilisée sous forme de tisane, infusion, décoction... (Livre de propriété des choses, enluminure, XVe siècle.)

Après des années de pratique médicale, il demeure toujours insatisfait par son impuissance à guérir avec les moyens de l'époque. Un jour, un enfant meurt dans ses bras. Un de plus. Un de trop. Il met, comme il dit, Esculape dans la balance et abandonne la pratique de la médecine jusqu'à ce qu'il trouve. Quoi ? Il ne le sait pas vraiment. Mais il est sûr que son devoir est de chercher. Pour vivre, il se met à faire des traductions. Une nuit, alors qu'il traduit la matière médicale de l'Anglais Cuellen, il a une illumination. Il travaille sur un passage traitant de l'écorce de quinquina. À l'époque, les médecins la prescrivent pour lutter contre les fièvres et les tremblements. Cuellen pose l'hypothèse que l'action de la plante est due à son influence sur les nerfs de l'estomac. « Il y a un moyen très simple de savoir si c'est vrai, se dit Hahnemann : faire absorber le remède à un organisme sain et observer ce qui se passe. » Aussitôt dit, aussitôt fait. Stupeur : l'écorce de quinquina produit sur lui les effets qu'elle est sensée soigner. Suant, tremblant, angoissé, Hahnemann pressent qu'il vient de faire une importante découverte : les plantes agiraient en soignant, sur un organisme malade, les effets qu'elles produisent sur un organisme sain. Splendide illustration du *similia similibus curantur* de Paracelse.

DE L'HOMÉOPATHIE À L'ANTHROPOSOPHIE

Hahnemann expérimente ainsi, pendant des années, tous les remèdes de la pharmacopée de l'époque, principalement des plantes, mais aussi des minéraux et des substances animales, notant minutieusement les réactions physiques et psychiques qu'ils provoquent. L'impressionnante somme de notes qu'il accumule sert de base à une œuvre médicale sans précédent. Mais certaines substances étant toxiques à fortes doses, il entreprend de réduire celles-ci jusqu'à l'infinitésimal en diluant, diluant encore... C'est ainsi que naît l'homéopathie : cette médecine du semblable et de l'infiniment petit qui soigne avec des doses si infimes que, selon les lois de la physique, il n'y a souvent plus rien dans les remèdes. Elle agite encore de nos jours le corps médical, partagé entre ses partisans et ses détracteurs. Reste que cette thérapeutique, aujourd'hui décriée pour son manque de rigueur scientifique, est née de l'esprit d'un homme assoiffé de science et de recherche. Elle se fonde sur une somme d'observations rigoureuses sur les effets des plantes, jamais effectuées auparavant.

En 1861, près de vingt ans après la mort d'Hahnemann, naît en Hongrie un homme qui allait poursuivre ses travaux, Rudolf Steiner, le créateur de la doctrine anthroposophique, philosophie qui place l'homme au centre de la création. L'anthroposophie a donné naissance à de nombreuses applications : une méthode d'enseignement, une architecture, une agriculture... et, bien sûr, une médecine qui fait des plantes un usage important et très particulier.

Steiner est un fervent admirateur de Goethe (1749-1832), le grand poète allemand, qui a publié plusieurs traités scientifiques consacrés à l'optique, aux couleurs et surtout aux plantes, (*Métamorphose des plantes*, 1790). Celui-ci s'intéresse par-dessus tout aux lois du vivant. À l'âge de 19 ans, gravement malade, il est sauvé par un remède alchimique prescrit par un vieux médecin très religieux et il en a gardé une passion pour la thérapeutique et les plantes. Selon Goethe, la connaissance que les médecins ont alors des végétaux est erronée. On ne peut prétendre connaître un organisme vivant en l'isolant de l'espace et du temps, comme on le fait lorsque l'on cueille une plante pour la déposer sur un herbier. Il estime qu'il faut observer la plante vivante, dans son processus de croissance, à travers ses phases successives, en permanente évolution. Ainsi naît sa théorie de la métamorphose, dont s'inspire largement Steiner.

L'HOMME ET LA PLANTE : DEUX ALTER EGO

Intellectuel et profondément mystique, Steiner considère l'homme comme une entité à trois étages : le corps, l'esprit et l'âme. Pour lui, l'homme est un résumé de la nature et de l'univers puisqu'il est la dernière étape de la création. Il porte donc en lui les trois règnes précédents : minéral, végétal et animal. Plus une quatrième dimension qui lui est spécifique, la conscience. Tout ce qui existe dans le monde existe dans l'homme, y compris le monde végétal et son fourmillement d'espèces. Naturellement, Steiner a recours à des plantes pour soigner les maladies. Il considère les plantes comme des hommes à l'envers, les pieds en l'air et les ramifications cérébrales plantées en terre. Il s'appuie sur une image fonctionnelle de l'homme très particulière.

Le fonctionnement des humains serait réparti entre trois étages : en bas (abdomen) un pôle métabolique qui régit les fonctions vitales ; en haut (cerveau) un pôle neurosensoriel qui régit les perceptions et la pensée ; entre les deux (thorax) un pôle rythmique qui fait le lien entre le haut et le bas. Toute rupture d'équilibre entre ces pôles entraîne la maladie. Quant aux plantes, leur pôle sensoriel serait plongé dans le sol, sous la forme de racines cherchant la nourriture. Leurs fleurs et leurs fruits, siège d'intenses activités métaboliques, se retrouveraient à l'étage supérieur. Entre les deux, les feuilles, par leur développement régulier, représenteraient le pôle rythmique. Pour soigner un malade, Steiner préconise donc d'utiliser la partie de la plante correspondant au pôle perturbé chez le malade. Ainsi *Chamomilla*, la camomille, réputée pour ses vertus calmantes et antispasmodiques. En médecine anthroposophique, ses racines servent à équilibrer l'activité neurosensorielle et ses fleurs à régulariser l'activité métabolique. En considérant la plante dans son évolution vivante, à la manière de Goethe, Steiner évalue son mode d'action. Le choix de la plante se fait selon une démarche proche de la théorie des signatures de Paracelse. Un bouleau, fin et élancé, n'a pas le même «comportement» qu'un chêne, ramassé et noueux ; une fougère qui développe beaucoup de feuilles et peu de racines, n'a pas la même façon d'être que la bryone qui possède plus de racines et peu de feuilles.

Dernière étape, la **dilution**. À la manière de Hahnemann, Steiner traite, dilue et dynamise les substances de base pour les rendre plus subtiles et plus facilement accessibles à l'organisme humain. Il va même jusqu'à faire effectuer par les plantes elles-mêmes le travail de dilution. Au lieu de mélanger artificiellement un végétal et un minéral dans un même médicament, il nourrit le premier avec le second pour que l'opération se déroule de manière naturelle. Ainsi, *Primula Auro culta*, un médicament anthroposophique associant l'or et la primevère et utilisé pour soigner les affections du cœur et du système circulatoire, découle de ce système. Pour le fabriquer, on plante un pied de primevère dans un mélange de terre et d'or. On laisse la plante pousser pendant une année avant de la cueillir et de préparer le médicament.

RUDOLF STEINER
Le fondateur de l'anthroposophie devant une maquette du Goethaneum, monument commémoratif érigé en souvenir du poète allemand.

EDWARD BACH : L'ESSENCE SUBTILE DES FLEURS

La démarche anthroposophique a de quoi choquer les esprits les plus cartésiens. De fait, elle fait fi des données physico-chimiques pour s'évader vers une vision plus éthérée et spirituelle du monde et de la vie. Hommes et plantes y compris. Plus subtile encore est, au début du siècle, la démarche du docteur Edward Bach, médecin anglais qui s'intéresse surtout aux fleurs. Bach est persuadé que les maladies ont une forte composante psychique et estime que l'équilibre émotionnel est le meilleur garant de santé et le premier instrument de guérison.

Travailleur infatigable, il exerce d'abord en milieu hospitalier avant de s'intéresser à l'homéopathie. Comme ses illustres prédécesseurs, il ne peut imaginer que la nature ne recèle pas, cachées dans ses anfractuosités les plus secrètes, les solutions aux problèmes humains. Il abandonne sa pratique médicale pour arpenter sans relâche les prairies et les bois. Il se persuade, peu à peu, que les fleurs recèlent tout le génie des plantes, qu'en elles résident le souffle, l'essence, toute l'énergie curative du monde végétal. Il commence par en faire des dilutions homéopathiques, puis s'en remet à l'**alchimie** naturelle : à l'humidité et aux rayons solaires. Il recueille la rosée déposée au matin sur les corolles et en fait des remèdes censés harmoniser les états d'âme, et ainsi restaurer la santé. Il teste, obtient des résultats, s'enthousiasme...

Comme la demande se fait de plus en plus pressante, il lui faut trouver un procédé de fabrication moins contraignant que la récolte de rosée. Il a alors l'idée de laisser tremper les fleurs quelques heures dans de l'eau de source, le tout exposé aux premiers rayons du soleil, à l'endroit même où elles ont poussé. La méthode simple et naturelle qu'il cherchait depuis des années est enfin trouvée : le feu, la terre, l'air et l'eau alliés pour donner un remède. Bach met ainsi au point trente-huit élixirs floraux, chacun correspondant à un état d'âme et étant capable de régulariser les excès : colère, timidité, anxiété...

LES PLANTES SE PARLENT SILENCIEUSEMENT

Ces visions idéales et sublimées de la nature peuvent faire sourire. Cependant Bach, Steiner et Hahnemann ont mis au point des techniques thérapeutiques certes décriées, mais encore bien vivantes : les élixirs floraux sont très utilisés par les Britanniques, l'homéopathie par les Français, les remèdes anthroposophiques par les Allemands... Et c'est le monde végétal, dans toute sa complexité, qui les a inspirés. Dans son mystère, aussi. En effet de mystère l'univers des plantes ne manque pas ! Longtemps considérées comme des organismes passifs et végétatifs, elles livrent peu à peu les secrets de leur comportement et de leur communication. « La communication dans la nature reste silencieuse et secrète », explique Jean-Marie Pelt. Son langage est chimique et ses messagers sont des sortes d'hormones gazeuses, sécrétées puis diffusées dans l'atmosphère.

LE BUREAU DE BACH

Le docteur Bach a mis au point 38 élixirs floraux. D'autres chercheurs ont poursuivi son œuvre un peu partout dans le monde. En France, on trouve actuellement plus de 70 élixirs.

Ces messages sont innombrables et passent complètement inaperçus à nos organes sensoriels trop sommaires pour les saisir ! Les végétaux y ont recours notamment pour se protéger contre les prédateurs. Les peupliers, les chênes, les érables... se préviennent lorsqu'une invasion se dessine à l'horizon et sécrètent des substances toxiques qui les rendent indigestes. D'autres végétaux, comme le maïs par exemple, produisent des cocktails chimiques qui attirent des prédateurs, capables de se nourrir de leurs parasites et,

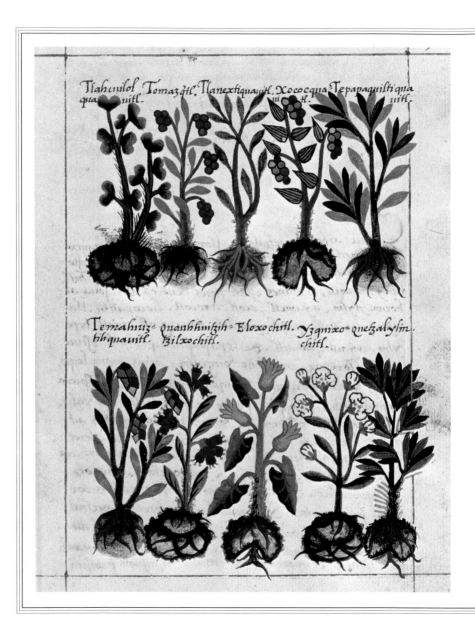

Tlahcuilol Tomazqtl. Tlanextiquauitl. Xococqua Tepapaquiltiqua
qua   uitl.   iii itl.   uitl.

Temahuiz= quauhhuitzih= Eloxochitl. Yzquixo= quetzalylin
tihquauitl. ßilxochitl.   chitl.

du même coup, de les en débarrasser. De même côté sensibilité, les plantes n'ont toujours pas fini de nous étonner. On sait aujourd'hui avec certitude qu'elles possèdent une mémoire, car elles gardent le souvenir des agressions qu'elles ont subi.

LES MÉDICAMENTS DE L'OCCIDENT VIENNENT DES FORÊTS TROPICALES

À ce jour, moins de 10 % des espèces végétales de la planète ont été sérieusement étudiées. Plutôt que de fouiller à l'aveuglette dans cet immense réservoir, les laboratoires préfèrent s'adjoindre l'aide d'ethnologues qui étudient d'abord les pratiques phytothérapeutiques locales, délivrant ainsi les premières pistes. La suite est affaire de temps : on dissèque, on isole, on reproduit, on teste... Et parfois, on trouve. Dernières nées de cette panoplie phytothérapeutique moderne : les hormones végétales. Certaines plantes contiennent des molécules moins agressives pour l'organisme et plus facilement métabolisées que les hormones de synthèse. Les risques habituellement liés aux hormones de synthèse semblent être ainsi écartés.

Au palmarès des grands succès végétaux, il faut citer également les huiles essentielles et leur fort pouvoir antibiotique. Ce sont des concentrés de principes actifs extrêmement puissants. Selon la plante dont elles sont issues, ces essences ont des vertus diverses : analgésiques, fébrifuges, anti-inflammatoires... Mais, avant tout, elles sont puissamment antibiotiques et pourraient représenter une alternative moderne très intéressante aux antibiotiques.

L'IMAGINATION DE TOUS LES CHERCHEURS NE POURRA JAMAIS ÉGALER LA FORMIDABLE CRÉATIVITÉ DE LA NATURE

Certaines plantes contiennent plus de 10 000 molécules différentes. Il a fallu pas moins de 4,5 milliards d'années à la terre pour produire une telle richesse et une telle diversité. Tout est bon dans les plantes : chaque partie est une véritable usine à produire des molécules biologiquement actives. Et le brin d'herbe le plus insignifiant cache peut-être un trésor thérapeutique qui peut devenir des espèces sonnantes et trébuchantes pour le laboratoire qui met la main dessus. Raison pour laquelle les géants de l'industrie pharmaceutique essaient de s'offrir des droits d'exclusivité sur certaines régions. Parfois, les gouvernements s'y mettent.

Lors du tremblement de terre de Mexico, en 1985, plusieurs milliers de blessés furent soignés en urgence, en attendant mieux, avec un vieux remède bien connu des Aztèques : le tepezcohuite. C'est l'écorce d'un petit mimosa que les anciens appelaient arbre à peau. Réduit en poudre et appliqué sur les blessures, il a permis une cicatrisation incroyablement rapide. Du coup, les scientifiques se sont penchés sur le tepezcohuite et lui ont découvert une étonnante

PLANTES MÉDICINALES

Le tepezcohuite, plante médicinale mexicaine, a été redécouvert assez récemment, à la faveur du tremblement de terre qui ravagea la ville de Mexico en 1985.

richesse biologique, capable de stimuler la reproduction cellulaire cutanée et de freiner les processus de dégénération. Aujourd'hui, au Mexique, les plantations de tepezcohuite sont gardées par l'armée, soucieuse de préserver ce qui est devenu un véritable patrimoine national.

LES MÉDICAMENTS DE DEMAIN

Les grandes maladies modernes se nomment cancer, sida, maladies dégénératives, pathologies cardio-vasculaires... Les réponses s'appellent aujourd'hui pervenche de Madagascar, if, digitale, echinacea, ginkgo biloba... En attendant de nouvelles solutions qui ne manqueront pas d'émerger au cours des années à venir. À condition que le patrimoine végétal de l'humanité ne disparaisse pas trop vite ! Heureusement, il existe encore des régions presque vierges au sein desquelles se sont préservés des écosystèmes uniques. C'est le cas des tepuis amazoniens. Ces montagnes sacrées ont été découvertes récemment, certaines depuis moins de cinquante ans. On y a dénombré 9 400 espèces végétales dont 40 % inconnues sur le reste de la planète.

La découverte de nouvelles plantes n'est que le préambule à un long, très long travail. Il faut cinq à dix ans de recherches pour trouver une molécule vraiment innovante, puis deux ans pour la tester sur les animaux. Ensuite, il faut compter encore deux ans pour la tester sur des volontaires puis quatre années pour faire de véritables études cliniques sur des malades. Enfin, au bout de ce long chemin, on obtient l'indispensable autorisation de mise sur le marché (**AMM**), à condition que le médicament ait fait la preuve de son efficacité et de son **innocuité**.

Dans certains cas, il ne reste pas grand-chose de commun entre la plante d'origine et le médicament final. En effet, la phytochimie permet d'isoler les composants moléculaires d'un extrait végétal et d'en transformer la structure pour les adapter à un usage particulier. On parle alors d'**hémisynthèse**. Mi-végétaux mi-chimiques, ces médicaments hybrides doivent tout de même leur existence au monde végétal qui a inspiré leur création.

Lorsqu'un médicament issu d'une plante est enfin mis sur le marché, la tâche des laboratoires n'est pas terminée pour autant. Encore faut-il pouvoir assurer un approvisionnement régulier et de bonne qualité en matière première. C'est pourquoi les travaux des biochimistes vont de pair avec ceux des ethnobotanistes et des ingénieurs agronomes. Certains laboratoires reçoivent ainsi chaque année plusieurs milliers de tonnes de plantes fraîches qui sont, selon les cas, mélangées à des solvants, soumises à cuisson, à pression, à évaporation... Au bout de ce long chemin, quelques boîtes nouvelles arrivent sur l'étagère d'une pharmacie ou d'une parapharmacie. À côté des nombreuses autres : plantes entières ou extraits, dilutions homéopathiques ou élixirs subtils, médicaments d'hémisynthèse ou produit phytochimique... Les plantes nous offrent ainsi de quoi soulager un grand nombre de maladies, tout en respectant les convictions de chacun et en permettant à tous de rêver à des lendemains dénués de tout mal incurable.

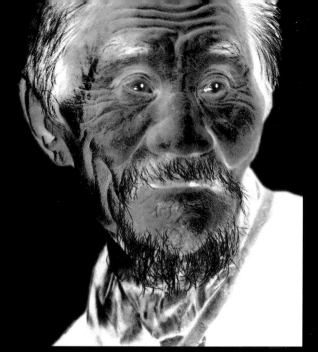

VOIR

LE CHAMANISME EST UNE ETHNOMÉDECINE TOUJOURS TRÈS VIVANTE, NOTAMMENT EN SIBÉRIE. CETTE PRATIQUE EMPREINTE DE MAGIE FAIT APPEL À L'ESPRIT DES PLANTES. LE CHAMAN, ESPÈCE DE SORCIER, EN EST UN PERSONNAGE ESSENTIEL. DANS DE SOMPTUEUX PAYSAGES, DES PERSONNAGES D'UN AUTRE MONDE...

La rivière Markha (nom d'un grand chaman) chargée de radioactivité, polluée par les mines de diamants

« Quand on se penche au bord de l'eau, on aperçoit les mauvais esprits qui rôdent dans les mondes inférieurs. »

Dans les monts de Verkhoïansk, l'endroit le plus froid du monde (-73 °C), l'embâcle au début de l'hiver.

Les chamans disent : « Les esprits sont partout, si tu sais regarder, tu vas les voir. »

de peaux de rennes. Les bois d'un renne sacrifié sont attachés à la tête.

Arbre sacré recouvert d'offrandes à Lenskie Stolby sur la rivière Lena

La « babouchka » femme chaman evencki de 106 ans, dans son campement dans les monts Stanovoï

Jeune chaman yakoute. Vallée de la Viliouï. « On devient chaman, dit-on, après y avoir été appelé en rêve par les esprits.

Dans les rêves de certains chamans, les esprits dépècent leur corps, en font cuire les morceaux et se les partagent. »

La « babouchka », lors d'une grande séance, la kamlanië, avec son arrière-petit-fils Egor au tambour et Volodia,

son assistant, le kuturutsuk.

La « babouchka » raconte sa vie dans le campement des éleveurs de rennes.

Matveï Afanasiev, chasseur yakoute, fils de chaman.

La « babouchka », lors d'une grande séance.

Tombe d'une femme chaman yakoute, XVIIIe siècle, musée de Yakoutsk.

Figuration d'esprit, musée de Topolinoïé, dans les monts de Verkhoïansk.

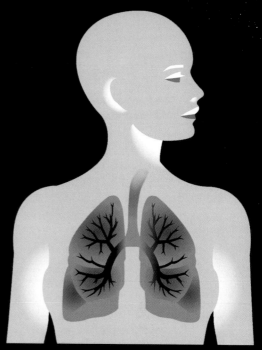

COMPRENDRE

QU'EST-CE QU'UNE DÉCOCTION, UNE TISANE, UNE INFUSION OU ENCORE
UNE HUILE ESSENTIELLE ? QU'EST-CE QUE L'AROMATHÉRAPIE ?
COMMENT LES PLANTES AGISSENT-ELLES SUR NOTRE ORGANISME ?
UN PETIT RÉPERTOIRE DES PLANTES LES PLUS UTILISÉES EN PHYTOTHÉRAPIE.

La plante dans tous ses états

Tout est bon dans la plante, il n'y a rien à jeter ! Les plantes médicinales peuvent contenir des principes actifs thérapeutiques dans toutes leurs parties : feuilles, fleurs, bourgeons, tiges, écorce, racines. Mais chacune a ses règles, notamment en ce qui concerne la cueillette et la conservation.

La conservation

Toute fermentation détruit une partie des principes actifs. C'est pourquoi, une fois que la plante a été cueillie, le séchage doit être rapide. Il se fait de préférence à l'air libre. Les éléments très charnus ou ligneux peuvent également être séchés dans la chaleur d'un four.

On peut conserver les plantes séchées une année environ, de préférence dans des bocaux de verre qui évitent l'installation de micro-organismes polluants.

LE TEMPS DE LA RÉCOLTE...

1. Qu'il s'agisse de racines, de radicelles, de tubercules, de bulbes ou encore de rhizomes..., la récolte se déroule au début de l'automne, lorsque la racine a puisé dans le sol de quoi passer l'hiver. Elle peut également avoir lieu à l'orée du printemps, avant que la plante ne s'épuise complètement en donnant naissance aux feuilles et aux fleurs.

2. Quelle que soit la plante, il faut récolter les feuilles lorsqu'elles sont pleinement épanouies, juste avant l'apparition des boutons floraux qui utiliseront une grande partie des principes actifs disponibles pour pousser.

3. Les bourgeons se récoltent dès leur apparition, au début du printemps, avant la grande montée de la sève.

4. Les fleurs ou sommités fleuries (grappes de petites fleurs qui poussent au sommet de la plante), doivent être cueillies dès le début de la floraison, après l'ouverture des boutons. C'est à ce moment-là que les fleurs concentrent les principes actifs.

5. Les fruits et les baies sont cueillis dès qu'ils sont murs, avant qu'ils utilisent les principes actifs qu'ils contiennent pour poursuivre leur maturité.

6. Les tiges, quelle que soit leur taille, doivent de préférence être cueillies en hiver, pendant la période de stagnation de la sève.

7. Les aubiers correspondent à la partie la plus jeune du tronc et des branches d'un arbre ou d'un arbuste. Celle-ci se situe juste sous l'écorce, là où l'on prélève les dernières couches du bois, encore fraîches et vivantes. On récolte les aubiers en hiver, en période de stagnation de la sève.

8. Les écorces, comme les tiges et pour les mêmes raisons, se récoltent en hiver, avant la reprise de l'activité végétative.

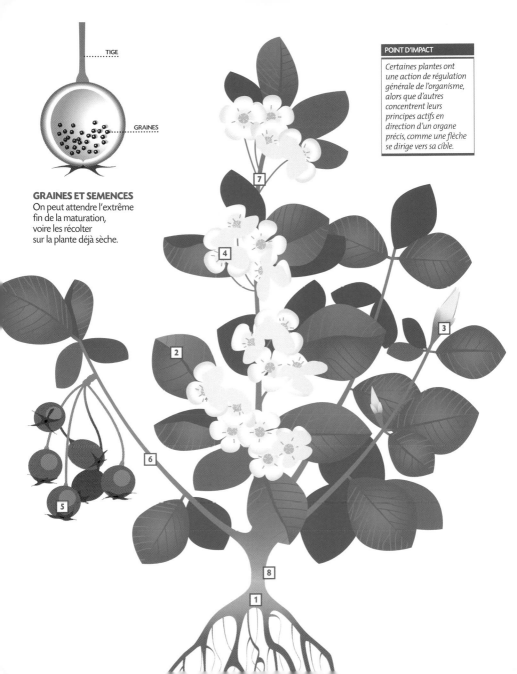

TIGE

GRAINES

GRAINES ET SEMENCES
On peut attendre l'extrême
fin de la maturation,
voire les récolter
sur la plante déjà sèche.

POINT D'IMPACT

*Certaines plantes ont
une action de régulation
générale de l'organisme,
alors que d'autres
concentrent leurs
principes actifs en
direction d'un organe
précis, comme une flèche
se dirige vers sa cible.*

Les utilisations traditionnelles

Certains laboratoires commercialisent des plantes issues de l'agriculture biologique. C'est une garantie de qualité. Toutefois, il faut savoir que les pesticides, qui se concentrent dans les lipides de la plante, ne se diffusent pas dans l'eau des tisanes ou des décoctions.

ÉVITEZ LE SUCRE

*Pour bénéficier de leurs bienfaits, il vaut mieux ne pas sucrer les préparations. En effet, la digestion du glucose risque de contrarier l'assimilation des principes actifs. Lorsque les plantes ont un goût trop désagréable, on peut soit édulcorer avec un peu de miel, soit mélanger la plante avec une autre, plus **aromatique** et à la saveur agréable (réglisse, verveine...). À condition que les vertus des unes et des autres ne s'opposent pas.*

Certaines plantes laissent facilement leurs principes actifs se dissoudre dans l'eau, alors que d'autres les retiennent dans leurs tissus avec plus d'ardeur.

Les préparations

Une tisane peut suffire pour récupérer les principes actifs. Mais bien des plantes demandent qu'on les fasse bouillir jusqu'à 20 minutes. Les vins de plantes permettent de récupérer les composants solubles seulement dans l'alcool. Enfin, quelques plantes récalcitrantes ne livrent leurs précieux principes actifs qu'à des alcools forts. Il faut alors avoir recours à des procédés plus complexes qu'on peut difficilement réaliser chez soi.

Des plantes séchées

Quelle que soit la recette, elle se prépare toujours à partir de plante séchée. Pourquoi ? Dans les cellules de la plante, les principes actifs sont enfermés dans des sortes de petites boîtes dont les parois sont faites de cellulose. Lorsque la plante est fraîche, la chaleur de l'eau ne suffit pas à briser toutes ces parois et une partie des principes actifs reste enfermée dans la plante. Mais, lorsqu'elle est séchée, les parois des petites boîtes sont déjà fissurées et les principes actifs n'ont aucun mal à se diffuser dans l'eau ou dans le solvant.

La tisane

Faites bouillir l'eau. Versez-la, encore frémissante, sur les plantes avant de remuer et de couvrir. Selon les plantes, le temps d'infusion varie de 5 à 20 minutes. Filtrez avec un tamis fin.

La décoction

Plongez les plantes dans l'eau froide (pas glacée) et laissez-les reposer quelques minutes. Faites bouillir le tout de 1 à 20 minutes selon les plantes. Enfin, filtrez dans un tamis fin.

La macération

Plongez vos plantes dans un récipient rempli d'eau minérale. Laissez le tout à température ambiante, à l'abri du soleil direct. Faites reposer entre deux et dix jours selon la plante, en remuant délicatement tous les jours. Filtrez et pressez pour récupérer tout le liquide.

Le vin de plante

Mettez la plante à macérer dans du vin de bonne qualité. Laissez reposer à l'abri de la chaleur et de la lumière pendant deux à trois semaines selon les cas. Filtrez et pressez pour récupérer tout le liquide.

Les bienfaits du thé

Thé noir ou thé vert ?

La plante de départ est toujours la même, un camélia, *Camelia sinensis*. La différence de qualité vient du mode de cueillette. Le meilleur thé est cueilli lorsque le bourgeon commence à s'allonger comme un petit cigare, c'est le pekoe. Si on attend ou que l'on cueille ce bourgeon avec un gros bouquet de feuilles, la qualité est moins bonne.

Le thé vert

Il est très riche en **tanins**, notamment en catéchine qui freine le mauvais cholestérol et lui confère une action anti-diarrhéique. Des études sur des souris ont montré que la consommation quotidienne de thé vert stopperait l'évolution de 87 % des cancers de la peau, 58 % des cancers de l'estomac, 56 % des cancers du poumon. Cette action antitumorale serait due à une forte concentration en polyphénols (anti-oxydants empêchant la dégénération cellullaire) et de gallate d'épigalo-catéchine (10 fois plus que dans le thé noir) une substance qui freine une des enzymes responsables de la prolifération tumorale. (Pr Conney, Université du New Jersey, Pr Fujiki, Japan National Cancer Research Institute)

Le thé est la plante la plus consommée au monde et boisson numéro 1 du petit déjeuner ! À tel point que l'on a oublié ses vertus thérapeutiques. Pourtant, le thé est une vraie plante médicinale. La science lui aurait encore découvert récemment de nouvelles vertus.

La « convivili-thé »

En 2737 avant notre ère, l'empereur chinois Chen Nung, père de la médecine chinoise, s'apprêtait à boire son bol d'eau bouillante quotidien lorsque quelques feuilles du théier sous lequel il se reposait tombèrent dans sa tasse. C'est ainsi que naquit le thé. Partout, ce breuvage est symbole d'hospitalité et de convivialité, du *five o'clock* britannique au *tchaï* indien, en passant par le thé à la menthe arabe ou la cérémonie du thé japonaise.

Les vertus du thé

Le thé est une boissson tonique, **diurétique**, digestive, **dépurative**, anticholestérol, amincissante et même, dans certaines conditions, anticancéreuse. Elle contient des vitamines, des oligoéléments, du fluor, arme anticarie et antidécalcification osseuse, mais aussi de la théine, de la caféine, de la théophylline et de la théobromine, substances à la fois **stimulante**s et diurétiques.

Le thé noir

Il renferme beaucoup de flavonoïdes, des protecteurs veineux qui diminuent le risque de maladies cardiovasculaires. Sa forte concentration en vitamine P permet de renforcer la résistance des parois des vaisseaux. (Étude hollandaise effectuée sur 15 ans et 552 personnes.)

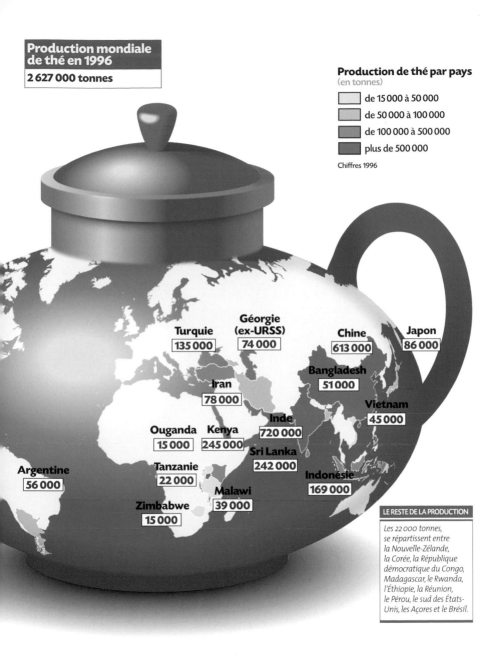

Production mondiale de thé en 1996

2 627 000 tonnes

Production de thé par pays
(en tonnes)

de 15 000 à 50 000
de 50 000 à 100 000
de 100 000 à 500 000
plus de 500 000

Chiffres 1996

Turquie 135 000
Géorgie (ex-URSS) 74 000
Chine 613 000
Japon 86 000
Bangladesh 51 000
Iran 78 000
Vietnam 45 000
Ouganda 15 000
Kenya 245 000
Inde 720 000
Sri Lanka 242 000
Indonésie 169 000
Argentine 56 000
Tanzanie 22 000
Malawi 39 000
Zimbabwe 15 000

LE RESTE DE LA PRODUCTION

Les 22 000 tonnes, se répartissent entre la Nouvelle-Zélande, la Corée, la République démocratique du Congo, Madagascar, le Rwanda, l'Éthiopie, la Réunion, le Pérou, le sud des États-Unis, les Açores et le Brésil.

Les modes de conditionnement modernes

Aujourd'hui, les plantes sont commercialisées sous diverses formes. Pour mieux choisir les produits que l'on achète, mieux vaut savoir ce qu'ils contiennent.

Quels conditionnements ?

Certains conditionnements privilégient la récupération des principes actifs alcoolosolubles et conviennent mieux aux plantes qui en sont très fournies. Ceux qui privilégient les hydrosolubles sont plus adaptés aux plantes qui en sont riches. Les conditionnements par le froid respectent mieux que d'autres les principes actifs très fragiles.
Pour le reste, c'est à chacun de choisir selon qu'il préfère les gouttes, les gélules ou les ampoules...

Les plantes irradiées

Certains laboratoires irradient leurs plantes séchées afin d'éviter tout développement de micro-organismes. Ils les soumettent à un flux de rayons gamma. Cette méthode est efficace sur le plan sanitaire, mais on ignore si ce traitement détruit certains principes actifs.

Les extraits titrés

La plante macère d'abord dans un mélange d'alcool et d'eau. Ainsi, les principes actifs passent dans le liquide, qu'ils soient hydrosolubles ou alcoolosolubles. La substance obtenue est séchée et filtrée.

Puis, l'extrait de plantes est ajusté de façon à ce que la teneur en principe actif soit toujours la même, quelles que soient la plante, la saison de la cueillette, sa provenance. Enfin le tout est séché, réduit en poudre et conditionné en gélules.

Les poudres

Ce sont des plantes séchées, puis pulvérisées et tamisées pour évacuer les impuretés.
C'est ce que l'on trouve couramment dans les gélules de plantes.

Substances intégrales de plantes fraîches

Les plantes sont d'abord cryobroyées. Puis le mélange est stabilisé dans des vapeurs d'alcool pour préserver tous les principes actifs, même ceux qui sont abîmés par le séchage. Une fois refroidi, le liquide est conditionné en flacons.

GÉLATINE VÉGÉTALE

Depuis l'apparition de la maladie de Creutzfeldt-Jakob, les laboratoires n'utilisent plus de gélatine d'origine animale pour fabriquer l'enveloppe des gélules, afin d'éviter tout risque de contamination par les prions. Ils ont recours à une gélatine d'origine végétale, totalement inoffensive pour l'homme.

Les nébulisats

Les plantes macèrent dans un mélange d'alcool et d'eau qui est chauffé et passé à la centrifugeuse pour isoler les substances directement actives. Celles-ci sont récupérées et conditionnées en flacons.

Les plantes cryobroyées

Les plantes sont gelées rapidement, à très basse température. Puis elles sont réduites en poudre. Cela évite le recours à la chaleur qui affecte certains principes actifs fragiles. Le conditionnement se fait en gélules.

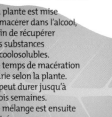

Les alcoolatures

La plante est mise a macérer dans l'alcool, afin de récupérer les substances alcoolosolubles. Le temps de macération varie selon la plante. Il peut durer jusqu'à trois semaines. Le mélange est ensuite filtré pour ne conserver que le liquide.

Les plantes antistress

Le stress est l'ennemi
numéro 1 de notre société.
7 personnes sur 10 s'avouent
stressées. Le stress
se manifeste par de l'anxiété,
de la nervosité, des insomnies.

Vaincre le stress

Pour résister au stress, on consomme
des médicaments psychotropes :
anxiolytiques, somnifères.
Peu à peu on s'y habitue, le médicament
fait de moins en moins d'effet,
on augmente les doses. Au bout
de quelques mois, on ne peut plus
s'en passer. Pour échapper à cette
pharmacodépendance, ou pour essayer
de s'en sortir, il existe une solution :
les plante antistress.

L'AUBÉPINE
Insomnie, angoisse,
palpitations, telles
sont les applications
ancestrales de la
décoction d'aubépine,
l'insomnie venant
en tête.

LA PASSIFLORE
Puissant antistress,
elle calme
les individus surmenés,
à qui elle rend
un sommeil serein.
Mais attention : n'en
buvez pas trop car
elle peut provoquer
des migraines.
Arrêtez le traitement
ou diminuez les doses
dès les premiers signes.

LA LAVANDE
Antispasmodique
et **sédative**,
elle apaise la nervosité
et l'anxiété.

LA CAMOMILLE
Elle calme, apaise,
soulage les tensions
et les douleurs qui
leur sont associées.

**TOUT BON
LE HOUBLON !**
Jadis, on remplissait
les oreillers de cônes de
houblon pour procurer
un bon sommeil.
C'est en respirant
les substances volatiles
contenues dans ces
étranges fleurs que l'on
s'apaise et s'endort.

LA MÉLISSE
C'est l'amie des périodes
de nervosité transitoire,
notamment chez les
femmes à l'approche
des règles. C'est aussi
un tonique général
qui soutient l'organisme
pour résister aux
pressions trop fortes.

LA MARJOLAINE
C'est un tranquillisant naturel.
Elle détend, relaxe et soulage
la nervosité et l'agressivité.
Par contrecoup, elle améliore
le sommeil.

LA VALÉRIANE
Ses racines
calment la nervosité,
les palpitations,
la tachycardie, et aident
à trouver le sommeil.
Elle est à consommer
le soir car, prise dans
la journée, elle risque
de provoquer
des somnolences.

LE TILLEUL
Ses fleurs sont anxiolytiques
et soulagent les troubles
digestifs liés au stress.
Vous pouvez en boire toute
la journée car il n'a que des
vertus **hypnotiques** légères.

Le millepertuis : plante antidéprime

Une plante aussi efficace que les antidépresseurs ? Le millepertuis. Son extrait donne des résultats égaux, voire supérieurs, aux antidépresseurs, sans accoutumance ni effets secondaires.

L'antidépresseur naturel *made in USA*
Autrefois, on faisait respirer des fumées de millepertuis aux possédés pour chasser leurs démons. Aujourd'hui, on sait avec certitude que cette plante soigne la déprime et la dépression. Diverses études ont confirmé ses effets : ils sont au moins égaux à ceux des antidépresseurs les plus récents, avec beaucoup moins d'effets secondaires et d'accoutumance.

L'extraction à l'alcool, seule efficace
Pour remplacer un antidépresseur chimique, il faut un extrait particulier de la plante. On fait macérer dans l'alcool les sommités fleuries avant de laisser évaporer le liquide. Les extraits recueillis contiennent de grandes quantités d'hypericine, le composant responsable de l'action antidépressive. Ils sont testés et ajustés de façon à contenir toujours le même pourcentage d'hypericine. Entre 300 et 900 mg d'extrait par jour sont prescrits selon la gravité de la dépression.

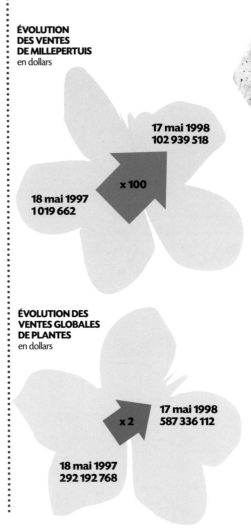

ÉVOLUTION DES VENTES DE MILLEPERTUIS
en dollars

17 mai 1998
102 939 518

x 100

18 mai 1997
1 019 662

ÉVOLUTION DES VENTES GLOBALES DE PLANTES
en dollars

17 mai 1998
587 336 112

x 2

18 mai 1997
292 192 768

LA MÉTA ANALYSE
80 %
d'amélioration
en quatre
semaines

EFFETS SECONDAIRES
(bouche sèche, nausée,
prise de poids)

MILLEPERTUIS
19,8 %

**ANTIDÉPRESSEUR
CHIMIQUE**
52,8 %

Résultats de 23 études, représentant en tout 1757 patients.

ATTENTION AUX MÉLANGES !

Si vous êtes déjà sous antidépresseur, ne mélangez pas le millepertuis avec votre médicament habituel: l'hypericine est incompatible avec certaines molécules. N'arrêtez pas brutalement la prise d'un antidépresseur pour le remplacer par de l'extrait de millepertuis, car les symptômes endormis pourraient réapparaître de façon brutale et sévère. Consultez un médecin pour mettre au point un plan de sevrage bien construit.

Les plantes préférées des scientifiques

Ces vingt dernières années, des plantes ont fait l'objet d'études scientifiques poussées qui ont confirmé leur efficacité ou permis de leur découvrir de nouvelles applications. Quelques stars de la recherche actuelle.

L'if du Pacifique

Entre 1950 et 1980, le National Cancer Institute américain a suivi un vaste programme d'étude sur les effets de 35 000 plantes sur le cancer. C'est dans ce cadre qu'en 1967, des chercheurs ont découvert l'action antitumorale de l'If du Pacifique. La substance active, le paclitaxel, est concentrée dans l'écorce et les aiguilles de l'arbre. L'efficacité du médicament tiré de cette substance, le Taxol, sur certains cancers du sein, des bronches, du cerveau a été prouvée. On estime à 30 % les cancers de l'ovaire réfractaires aux traitements classiques qui pourraient être soignés ainsi.

L'IF DU PACIFIQUE

Le gingko biloba

C'est un véritable arbre fossile. Il existe, identique, depuis plus de 200 millions d'années ! Il a traversé toutes les périodes climatiques, résisté à toutes les catastrophes, même à la bombe atomique d'Hiroshima. Des recherches ont mis en évidence sa richesse en flavonoïdes et en terpènes. Parmi ces dernières, les gingkolides de véritables substances antivieillissement. Ils piègent les radicaux libres responsables de l'usure cellulaire et améliorent la micro-circulation sanguine notamment au niveau du cerveau. Seul problème pour les laboratoires : ces molécules sont très difficiles à reproduire artificiellement. Force est donc, pour l'instant, de continuer à produire des médicaments à base d'extraits végétaux naturels !

LE GINGKO BILOBA

LE SHII-TA-KÉ

Le shii-ta-ké

Ce champignon comestible fait partie de la pharmacopée orientale depuis plusieurs siècles. Des recherches récentes, comme celle du professeur Yamamura (Université de Californie), ont montré qu'il est très riche en Lentinan et AC2P, deux glucides rares qui possèdent un fort pouvoir immunostimulant et antiviral. Le shii-ta-ké est un excellent soutien pour les systèmes immunitaires fatigués.

On peut l'utiliser de façon préventive, pour se protéger des microbes et des virus. D'autres recherches, comme celle du docteur Abrams (Centre de recherche UC San Francisco), ont montré que le shii-ta-ké permet aux cellules immunitaires de recommencer à se multiplier chez des patients atteints du sida. Bien sûr, il ne constitue pas à lui seul un médicament contre cette maladie, mais c'est un traitement complémentaire efficace.

LA PERVENCHE DE MADAGASCAR

La pervenche de Madagascar

Cet arbrisseau tropical d'à peine 50 centimètres est utilisé par les guérisseurs locaux comme antidiabétique. Des études récentes ont montré que l'un de ses soixante alcaloïdes, la vinorelbine, freine la multiplication cellulaire dans certains types de cancers.

Un médicament, la Navelbine, a été mis au point à partir de cette substance végétale. Les études cliniques ont montré qu'il est efficace dans 60 % des cancers du sein résistants aux chimiothérapies classiques. Il est aujourd'hui officiellement utilisé dans une cinquantaine de pays, dont les États-Unis.

Les poumons de la planète

Des milliers d'espèces restent à découvrir, principalement dans les riches forêts tropicales. Ces espèces renferment les molécules qui donneront naissance aux médicaments de demain. Hélas, la flore mondiale est en danger, menacée par la déforestation, la pollution, le réchauffement du climat.

Attention danger !

Malgré les récents accords internationaux et les cris d'alarme lancés par les scientifiques et les écologistes, la forêt tropicale et équatoriale disparaît au rythme effrayant de 5 000 m² à la seconde ! Durant les 200 000 dernières années, le rythme naturel d'extinction des espèces était d'une tous les deux ans. Il a été multiplié au moins par 1 000. Toutes les 15 minutes, une espèce disparaît de la planète . Pendant ce temps, la santé des générations futures part en fumée !

Indispensables plantes

Trois médicaments sur quatre sont issus de plantes. Soit directement (ils sont fabriqués à partir d'extraits végétaux) soit indirectement (ils reproduisent chimiquement des molécules végétales). Ainsi, nous nous soignons tous, à un moment ou à un autre, avec des plantes, même sans le savoir !

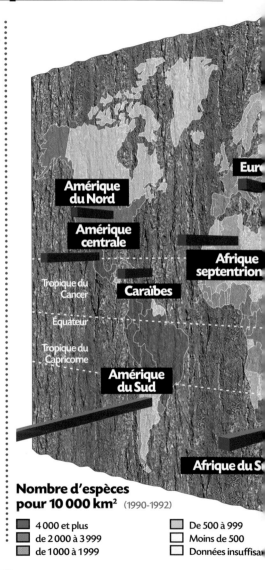

Amérique du Nord

Amérique centrale

Caraïbes

Tropique du Cancer

Équateur

Tropique du Capricorne

Amérique du Sud

Eur

Afrique septentrion

Afrique du S

Nombre d'espèces pour 10 000 km² (1990-1992)

- 4 000 et plus
- de 2 000 à 3 999
- de 1 000 à 1 999
- De 500 à 999
- Moins de 500
- Données insuffisa

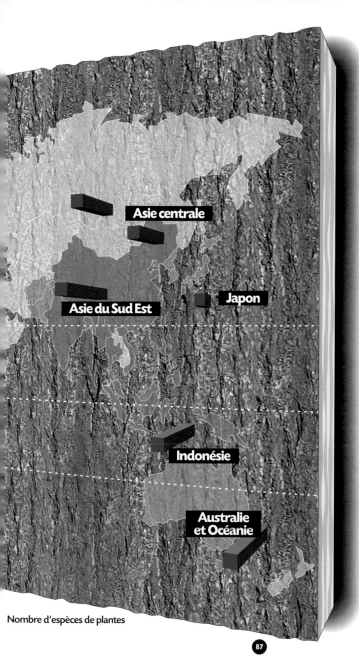

Asie centrale

Asie du Sud Est

Japon

Indonésie

Australie
et Océanie

Nombre d'espèces de plantes

Le réchauffement de la planète

Depuis 13 000 ans, (dernière période glaciaire), la température a augmenté de 4 °C. Un changement suffisant pour faire passer les pays d'Europe d'un climat polaire à un climat tempéré. En 130 ans seulement, l'activité industrielle occidentale a déjà fait monter le climat de 0,5 °C.

Les forêts menacées

Parcs et réserves officielles ne couvrent que 1,6 % de la surface des forêts.
8 750 espèces d'arbres tropicaux sont actuellement menacées d'extinction.
Depuis 1980, la forêt mondiale a diminué de près de 50 millions d'hectares.
Entre 1990 et 1995, 3 750 000 hectares de forêt ont disparu en Afrique, 4 200 000 hectares en Asie et 5 800 000 hectares en Amérique latine.

Quelques chiffres

Parmi les très nombreuses plantes médicinales répertoriées et utilisées dans le monde, 4 500 poussent en Europe, 6 500 en Asie du Sud-Est, 1 300 en Amazonie, 5 000 en Chine et 2 500 en Inde.

Les huiles essentielles : des concentrés de plantes

Ce sont des extraits de plantes aromatiques qui en font un produit très puissant. Les principes actifs sont jusqu'à 100 fois plus concentrés dans l'huile essentielle que dans la plante fraîche. Chaque huile en contient plusieurs dizaines !

L'action des huiles essentielles

Elle est différente de celle de la plante. La valériane est utilisée en **phytothérapie** pour ses vertus calmantes, mais l'essence de valériane n'a pas cette qualité. Les substances **sédative**s, les valtrates, sont trop lourdes pour être emportées par la vapeur au cours de la distillation. Dans l'essence d'ail, à l'inverse, on trouve une substance, absente de l'ail frais, qui freine l'aggrégation des plaquettes sanguines. Elle naît au cours de la distillation sous l'effet de la chaleur et de l'humidité.

Les vertus des huiles

Selon la plante dont elle est issue, une huile peut être anti-inflammatoire, **antiseptique**, antivirale, antibiotique, cicatrisante, digestive, diurétique, sédative, analgésique, antifongique, tonique, laxative, fébrifuge, expectorante, antirhumatismale, **adoucissante**, héphatique, vasoconstrictrice ou vasodilatatrice...

COMMENT CHOISIR LES HUILES ESSENTIELLES ?

• Lisez attentivement les étiquettes.
• Vérifiez la provenance de l'huile.
• Fuyez les huiles synthétiques ou semi-synthétiques. Ce ne sont que des copies chimiques des principes actifs, seules ou combinées avec des huiles naturelles. Elles n'ont pas les propriétés **thérapeutiques** des essences naturelles et peuvent provoquer des réactions (démangeaisons, nausées...).
• Choisissez des huiles 100 % naturelles (mélanges d'essences) ou 100 % pures et naturelles (essence unique).
• Les huiles bio 100 % pures et naturelles sont issues de plantes cultivées selon les règles de l'agriculture biologique : sans pesticides ni engrais chimiques...

Les tiges, les branches et les racines

Ces parties plus dures et ligneuses sont mises à macérer dans un solvant, généralement de l'alcool. Après une période plus ou moins longue selon la plante, le solvant dans lequel les composants se sont diffusés est recueilli, puis filtré. C'est l'extraction au solvant.

Les fleurs

On place les fleurs sur une couche de cire naturelle dans laquelle elles déversent leurs composants en se fanant. La cire saturée d'essence est recueillie et distillée à basse température. C'est l'**enfleurage**.

Les feuilles

Les cuves de grands alambics sont remplies de feuilles que l'on fait macérer dans de la vapeur d'eau, laquelle est ensuite évacuée par un tuyau. Les composants les plus volatiles sont entraînés par la vapeur et se déposent au passage sur la paroi plus froide du tuyau. Cette huile est ensuite ramassée et filtrée. C'est la **distillation**.

Les écorces d'agrumes

Les essences des agrumes sont contenues dans les petites vésicules de leur écorce. Pour obtenir l'**huile essentielle**, on presse l'écorce. C'est l'expression.

Comment utiliser les huiles essentielles ?

Les huiles essentielles peuvent pénétrer dans l'organisme par la digestion, la respiration ou à travers la peau. Aussi, on peut les utiliser de différentes façons, chacune correspondant à une voie de pénétration. Dans tous les cas, le réseau sanguin fait ensuite la distribution en conduisant les principes actifs jusqu'aux cellules qui en ont besoin.

Pour assainir l'air

Vous pouvez vous procurer un diffuseur d'huiles essentielles : ce sont de petits appareils électriques qui diffusent lentement dans l'atmosphère de la pièce les huiles essentielles dont vous les avez chargés. La pénétration se fait donc par voie respiratoire. Idéal pour désinfecter l'air de la maison et lui donner des vertus apaisantes le soir et tonifiantes le matin.

Pour le massage

En ajoutant quelques gouttes d'huile essentielle à l'huile de massage, on donne à cette pratique une dimension directement thérapeutique.
Les principes actifs pénètrent à travers la peau et passent dans le sang par les innombrables vaisseaux capillaires qui irriguent l'épiderme et le derme.

La voie orale

Avaler les huiles par la bouche est une méthode efficace mais dangereuse car les huiles essentielles peuvent être toxiques. Les doses sont de l'ordre de la goutte. Il faut les respecter rigoureusement. La **voie orale** est à éviter en automédication. Elle est réservée à la prescription médicale. Il existe des huiles essentielles dosées et conditionnées en gélules, qui sont plus faciles à utiliser seul. Mais il faut rester vigilant. Les principes actifs pénètrent dans le corps par la voie digestive, et passent dans le sang à travers la paroi intestinale.

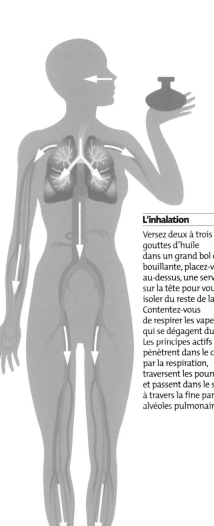

L'inhalation

Versez deux à trois
gouttes d'huile
dans un grand bol d'eau
bouillante, placez-vous
au-dessus, une serviette
sur la tête pour vous
isoler du reste de la pièce.
Contentez-vous
de respirer les vapeurs
qui se dégagent du bol.
Les principes actifs
pénètrent dans le corps
par la respiration,
traversent les poumons
et passent dans le sang
à travers la fine paroi des
alvéoles pulmonaires.

Le bain

Les huiles n'étant pas
solubles dans l'eau,
il ne faut pas verser
vos huiles directement
dans l'eau du bain.
Elles y flotteraient
sans s'y mélanger
et risqueraient de vous
irriter la peau. Versez vos
huiles (10 gouttes) dans
une cuillerée de lait et
mélangez bien avant de
mettre le tout dans l'eau
du bain, de préférence
sous les robinets ouverts
pour assurer une bonne
diffusion. Les principes
actifs pénètrent dans
le corps par deux voies :
par contact à travers
la barrière cutanée
et par la **voie respiratoire**
car les principes actifs
les plus volatils
se diffusent dans
l'atmosphère de la pièce
sous l'effet de la chaleur.

Les massages aux huiles essentielles

Choisissez des huiles d'anis (stimulant), de jasmin et de citron vert (tonifiants). Commencez par masser les orteils, l'un après l'autre. Puis exercez une série de pressions circulaires sur la plante du pied, en commençant par le centre.

Enfin, massez globalement le pied tout entier en remontant jusqu'aux chevilles. La plante des pieds est très riche en terminaisons nerveuses, ce qui rend ce massage particulièrement efficace.

LES ZONES DE COULEUR REPRÉSENTENT D'AUTRES POINTS IMPORTANTS À MASSER CIRCULAIREMENT.

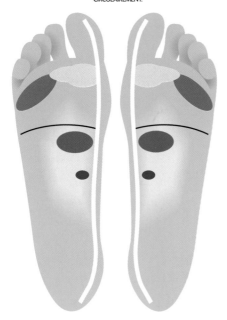

Seulement quelques gouttes d'huile essentielle suffisent pour transformer un simple massage de détente en un véritable outil de santé.

Préparation pour un massage

Préparez un mélange d'huiles de base (pépin de raisin, amande douce, jojoba, germe de blé, noyau d'abricot, avocat...) à votre convenance.

Pour chaque massage, prélevez une grosse cuillerée à soupe de cette huile que vous mettez dans un petit récipient. Ajoutez-y une dizaine de gouttes d'huiles essentielles de votre choix. Vous pouvez mélanger jusqu'à trois essences ayant des vertus proches.

Puis massez-vous (ou faites-vous masser) avec ce mélange.

Préparation pour une friction

Si le massage concerne une zone étendue du corps (ou le corps tout entier), la friction se cantonne à une région plus déterminée. Son effet est plus précis et plus puissant que celui du massage. Avec le même mélange d'huiles de base, préparez-vous un flacon de 100 ml, dans lequel vous verserez 5 ml d'essences choisies en fonction de l'effet recherché. Puis frictionnez, la zone du corps que vous désirez détendre ou soigner : plexus, nuque, tempes, jambes...

Choisissez des huiles
essentielles de lavande
(analgésique
et calmante),
de marjolaine (sédative
et réconfortante)
et de camomille
(anxiolytique).
Ce massage détend
les muscles tendus
par le stress et la fatigue
et apporte un sentiment
de bien-être et de paix.

COMMENCEZ PAR MASSER LA BASE DU CRÂNE ET LES
CÔTÉS DE LA NUQUE, DE BAS EN HAUT. DESCENDEZ LE
LONG DES ÉPAULES ET DES BRAS, JUSQU'AUX COUDES EN
DÉCRIVANT DES PETITS MOUVEMENTS ROTATIFS.

REMONTEZ JUSQU'À LA NUQUE.
RECOMMENCEZ LE CIRCUIT CINQ FOIS.

Choisissez des huiles
de menthe poivrée
et de citron
(analgésiques).
Frictionnez fermement
les tempes en faisant des
mouvements circulaires.
Puis descendez jusqu'à
la nuque, toujours en
faisant ces mouvements
circulaires et insistez
sur les creux situés
à la base du crâne.
Cette friction soulage
la tension accumulée
et atténue la douleur.

MASSEZ VOS TEMPES EN FAISANT DES
PETITS MOUVEMENTS CIRCULAIRES.

TOUJOURS EN FAISANT DES MOUVEMENTS CIRCULAIRES,
DESCENDEZ JUSQU'AU HAUT DE LA NUQUE.

	Eucalyptus *Eucalyptus globulus* Famille des myrtacées	**Guimauve** *Althea officinalis* Famille des malvacées
Provenance	Grand arbre originaire d'Australie qui atteint 100 mètres de haut. Pousse dans les régions chaudes et humides, notamment le bassin méditerranéen.	Plante vivace, qui adore les terrains humides et salés. Pousse surtout le long des côtes en Europe et en Asie. N'a rien à voir avec la confiserie du même nom !
Partie utilisée	*Feuilles*	*Feuilles et fleurs*
Effet	Expectorant, antibactérien, fébrifuge, **balsamique**. Très bon remède contre la toux. Aide à l'expulsion des sécrétions tout en désinfectant les voies respiratoires.	Adoucissante, émolliente, anti-inflammatoire. Calme les inflammations des bronches responsables des toux irritatives. Utile en cas de laryngite, de trachéites et même de bronchite.
Posologie	20 grammes de feuilles pour 1 litre d'eau froide. Faites bouillir 5 minutes. Jusqu'à 1 litre par jour, à tout moment.	15 grammes de feuilles et de fleurs dans 1,5 litre d'eau bouillante. Laissez infuser 10 minutes. Deux à trois tasses par jour, à tout moment.

Les plantes des bronches

Marrube blanc	Pin	Plantain	Reine-des-Prés
Marrubium vulgare	*Pinus sylvestris*	*Plantago major*	*Spirea ulmaria*
Famille des labiées	Famille des conifères	Famille des plantaginacées	Famille des rosacées
Plante des terrains secs, commune en Europe, surtout dans les régions méridionales.	Grand arbre des régions montagneuses et méridionales.	Plante vivace, commune sur tous les continents. Se trouve dans les prés et à la lisière des bois.	Plante des prairies humides, très commune en Europe.
Feuilles et fleurs	Bourgeons	Plante, racines et graines	Plante entière
Expectorant, désinfectant, **fébrifuge**, **béchique**. Désinfecte les poumons, les débarrasse des sécrétions accumulées en facilitant leur expulsion. Calme les accès de toux sèche.	Expectorant, antiseptique, fortifiant, stimulant, **sudorifique**. Connu depuis des millénaires pour son efficacité contre les maladies bronchiques. Chasse aussi la fatigue due à l'infection.	Expectorant, astreingeant, dépuratif Aide à l'expulsion des sécrétions dues aux toux grasses, et calme l'irritation due aux toux sèches.	Fébrifuge, antalgique, diurétique Contient des dérivés de l'acide salicylique Calme la fièvre et soulage les douleurs. Utile en complément des autres pour traiter les infections de la sphère respiratoire.
4 cuillerées à soupe pour 1 litre d'eau bouillante. Laissez infuser 10 minutes. Pas plus de deux ou trois tasses par jour (risque de palpitations). À tout moment.	1 cuillerée à soupe dans un grand bol d'eau froide. Faites bouillir 3 minutes et laissez infuser 5 minutes. Trois bols par jour, à tout moment.	2 cuillérées à soupe dans un grand bol d'eau bouillante. Laissez infuser 10 minutes. Deux bols par jour, à tout moment.	1 cuillerée à soupe pour un grand bol d'eau bouillante. Laissez infuser 10 minutes. Trois demi-bols par jour, loin des repas.

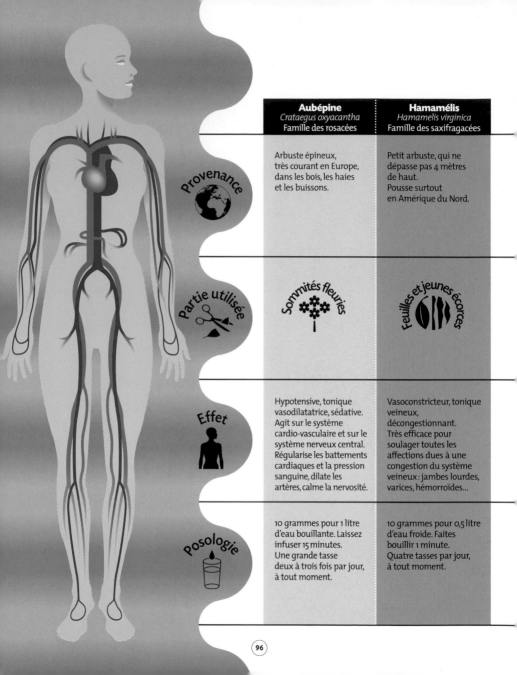

	Aubépine *Crataegus oxyacantha* Famille des rosacées	**Hamamélis** *Hamamelis virginica* Famille des saxifragacées
Provenance	Arbuste épineux, très courant en Europe, dans les bois, les haies et les buissons.	Petit arbuste, qui ne dépasse pas 4 mètres de haut. Pousse surtout en Amérique du Nord.
Partie utilisée	Sommités fleuries	Feuilles et jeunes écorces
Effet	Hypotensive, tonique vasodilatatrice, sédative. Agit sur le système cardio-vasculaire et sur le système nerveux central. Régularise les battements cardiaques et la pression sanguine, dilate les artères, calme la nervosité.	Vasoconstricteur, tonique veineux, décongestionnant. Très efficace pour soulager toutes les affections dues à une congestion du système veineux : jambes lourdes, varices, hémorroïdes...
Posologie	10 grammes pour 1 litre d'eau bouillante. Laissez infuser 15 minutes. Une grande tasse deux à trois fois par jour, à tout moment.	10 grammes pour 0,5 litre d'eau froide. Faites bouillir 1 minute. Quatre tasses par jour, à tout moment.

Les plantes du système circulatoire

Marronnier d'Inde *Aesculus hippocastanum* Famille des hippocastanacées	Mélilot *Mélilotus officinalis* Famille des légumineuses	Olivier *Olea europea* Famille des oléacées	Vigne rouge *Vitis vinifera* Famille des vitacées
Arbre très commun en France, originaire des Balkans. Il peut vivre jusqu'à trois siècles.	Petite plante herbacée, commune en Europe et en Asie. Pousse de préférence sur les terrains pauvres.	Arbre du pourtour méditerranéen. Pousse sur les terrains caillouteux et pauvres, et les climats chauds et secs.	Plante grimpante, commune autour du bassin méditerranéen et dans l'ouest de l'Asie.
Fruits Prélevés de préférence sur des arbres de plus de 3 ans.	**Sommités fleuries**	**Feuilles**	**Feuilles**
Vasoconstricteur, décongestionnant, **hémostatique.** Facilite la circulation veineuse de retour et soulage varices et hémorroïdes.	Anticoagulant, antiseptique, antispasmodique. Action anticoagulante d'un de ses composants essentiels, la coumarine. Prévient les caillots qui risquent de boucher les artères.	Hypotenseur, vasodilatateur des coronaires, spasmolytique. Abaisse la tension artérielle et la stabilise. Calme les phénomènes spasmodiques cardiaques.	**Astringente** décongestionnant pelvien, tonique veineux. Répare les altérations des parois veineuses. Combat œdèmes des jambes, hémorroïdes, troubles circulatoires de la ménopause.
20 grammes de marrons d'Inde concassés pour 0,5 litre d'eau froide. Faites bouillir 5 minutes et laissez infuser 10 minutes. Deux tasses par jour, entre les repas.	1 cuillerée à soupe pour 1 litre d'eau bouillante. Laissez infuser 5 minutes. Deux à trois tasses par jour, entre les repas.	10 grammes pour 1 litre d'eau froide. Faites bouillir 3 minutes et laissez infuser 10 minutes. Une grande tasse trois fois par jour, entre les repas.	2 cuillerées à soupe pour un grand bol d'eau bouillante. Laissez infuser 10 minutes. Un demi-bol le matin à jeun.

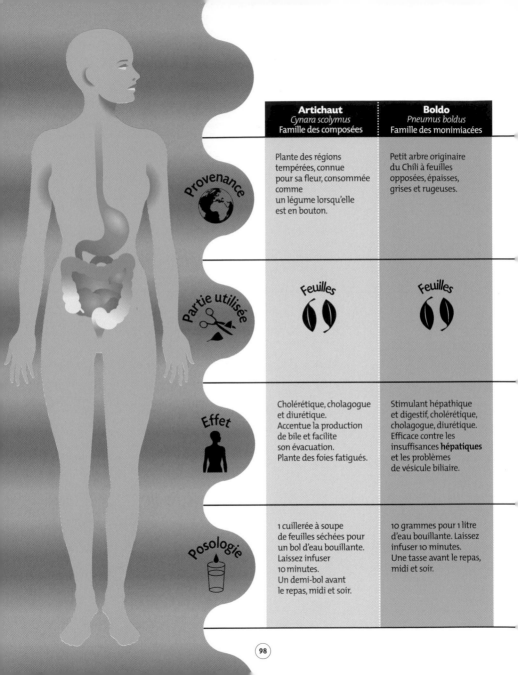

	Artichaut *Cynara scolymus* Famille des composées	**Boldo** *Pneumus boldus* Famille des monimiacées
Provenance	Plante des régions tempérées, connue pour sa fleur, consommée comme un légume lorsqu'elle est en bouton.	Petit arbre originaire du Chili à feuilles opposées, épaisses, grises et rugeuses.
Partie utilisée	Feuilles	Feuilles
Effet	Cholérétique, cholagogue et diurétique. Accentue la production de bile et facilite son évacuation. Plante des foies fatigués.	Stimulant hépathique et digestif, cholérétique, cholagogue, diurétique. Efficace contre les insuffisances **hépatiques** et les problèmes de vésicule biliaire.
Posologie	1 cuillerée à soupe de feuilles séchées pour un bol d'eau bouillante. Laissez infuser 10 minutes. Un demi-bol avant le repas, midi et soir.	10 grammes pour 1 litre d'eau bouillante. Laissez infuser 10 minutes. Une tasse avant le repas, midi et soir.

Les plantes de la digestion

Bourdaine *Rhammus frangula* Famille des rhamnacées	Mauve *Malva sylvestris − rotundifolia* Famille des malvacées	Menthe poivrée *Menta piperita* Famille des labiées	Romarin *Rosmarinus officinalis* Famille des labiées
Arbuste, commun en Europe. Pousse dans les zones humides et ombragées. Préfère les sols argileux.	Plante très vivace. Pousse sur tous les sols et sous tous les climats.	Plante vivace très courante. Pousse dans les jardins. Couramment utilisée en cuisine.	Buisson odorant commun dans les régions méditerranéennes. Aime les terrains secs et arides.
Écorce	Feuilles et fleurs	Feuilles et sommités fleuries	Feuilles, tiges et sommités fleuries
Cholérétique, **cholagogue** et laxative non irritante. Plante majeure contre la constipation : n'irrite pas les intestins. Active les sécrétions biliaires. Bénéfique à toutes les étapes de la digestion.	Laxative, émolliente, adoucissante, anti-inflammatoire. Fait merveille dans la constipation car est à la fois laxative et très douce, ce qui lui permet de stimuler les intestins sans les agresser.	Digestive, **carminative**, cholagogue, antalgique. Soulage les problèmes de ballonnements, d'aérophagie et de dyspepsie. Calme la sensation de nausée et accentue la production de bile par le foie.	Cholérétique, cholagogue et tonique. Active la digestion, accentue les sécrétions biliaires, stimule l'estomac et soulage les flatulences.
1 cuillerée à café pour 0,5 litre d'eau froide. Faites bouillir 5 minutes et laissez infuser 10 minutes. Une tasse au coucher.	2 cuillerées à soupe pour un grand bol d'eau bouillante. Laissez infuser 2 minutes. Deux ou trois demi-bols par jour, entre les repas.	1 cuillerée à soupe pour un bol d'eau bouillante. Laissez infuser 10 minutes. Un demi-bol après le repas, midi et soir.	15 grammes pour 1 litre d'eau bouillante. Laissez infuser 10 minutes. Une tasse après le repas midi et soir.

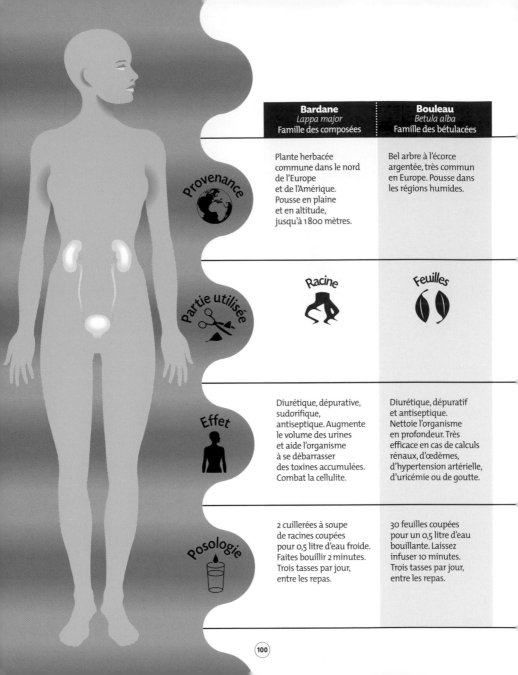

	Bardane *Lappa major* Famille des composées	**Bouleau** *Betula alba* Famille des bétulacées
Provenance	Plante herbacée commune dans le nord de l'Europe et de l'Amérique. Pousse en plaine et en altitude, jusqu'à 1800 mètres.	Bel arbre à l'écorce argentée, très commun en Europe. Pousse dans les régions humides.
Partie utilisée	Racine	Feuilles
Effet	Diurétique, dépurative, sudorifique, antiseptique. Augmente le volume des urines et aide l'organisme à se débarrasser des toxines accumulées. Combat la cellulite.	Diurétique, dépuratif et antiseptique. Nettoie l'organisme en profondeur. Très efficace en cas de calculs rénaux, d'œdèmes, d'hypertension artérielle, d'uricémie ou de goutte.
Posologie	2 cuillerées à soupe de racines coupées pour 0,5 litre d'eau froide. Faites bouillir 2 minutes. Trois tasses par jour, entre les repas.	30 feuilles coupées pour un 0,5 litre d'eau bouillante. Laissez infuser 10 minutes. Trois tasses par jour, entre les repas.

Les plantes de l'élimination

Le fragon épineux *Ruscus aculeatus* Famille des liliacées	Orthosiphon *Othosiphon stamineus* Famille des labiées	Pariétaire *Parietaria officinalis* Famille des urticacées	Pissenlit *Taraxacum officinale* Famille des composées
Également appelé petit houx. Petit arbuste épineux, toujours vert, commun en Europe. Aime les bois et les sols calcaires.	Arbuste originaire de Java, aujourd'hui très consommé en France.	Plante herbacée très courante en Europe, en Afrique du Nord et en Asie.	Également appelé dent-de-lion. Très commun dans nos prairies. Ses feuilles sont consommées en salade.
Racine	Feuilles	Plante entière	Plante entière
Diurétique, sudorifère et anti-inflammatoire. Action à la fois diurétique et anti-inflammatoire, très efficace dans les cas d'inflammation des voies urinaires. Active la transpiration : accentue son effet anti-œdème.	Dépurative, diurétique et cholagogue. Augmente vite le volume des urines. Débarrasse l'organisme des déchets, (urée et adice urique). Excellent draineur, élimine l'eau accumulée dans les tissus (œdèmes, cellulite...).	Diurétique, dépurative, sudorifique, rafraîchissante. Facilite l'expulsion des calculs rénaux, calme les crises de cystite, et soulage les œdèmes en augmentant rapidement le volume des urines.	Dépurative, cholagogue, hypocholestérolémiante et tonique. Agit en même temps sur les reins, le foie et la vésicule. Aide l'organisme à évacuer ses déchets et fait légèrement baisser le taux de cholestérol.
30 grammes pour 1 litre d'eau froide. Faites bouillir 5 minutes et laissez infuser 15 minutes. Deux tasses par jour, entre les repas.	2 cuillerées à soupe pour un 0,5 litre d'eau bouillante. Laissez infuser 10 minutes. Jusqu'à trois tasses par jour, entre les repas.	30 grammes pour 1 litre d'eau froide. Faites bouillir 10 minutes. Deux tasses par jour, entre les repas.	30 grammes de plante entière pour 1 litre d'eau froide. Laissez tremper 2 heures puis portez à ébullition. Une tasse dix minutes avant chaque repas.

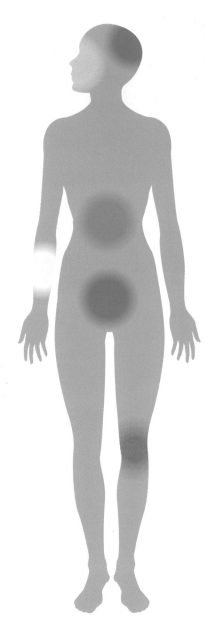

Quelques plantes très utiles

L'onagre : spécial femmes
L'huile tirée de ses graines est très riche en acide gammalinoléique, lequel augmente notre taux de prostaglandines. Résultat : une diminution importante du syndrome prémenstruel (irritabilité, migraines...).

Le calendula : cicatrisation express
Sa teinture-mère fait merveille pour accélérer la cicatrisation en cas de plaie ou de brûlures, grâce à sa richesse en vitamine P, bêta-carotène et flavonoïdes.

L'aloès : une peau de rêve
Son gel contient plus de 200 principes actifs. Il est anti-inflammatoire, astringent, cicatrisant, exfoliant, antivieillissement. Il convient à toutes les peaux.

L'harpagophytum : contre l'arthrose
Cette racine du désert du Kalahari est un puissant anti-inflammatoire qui agit sur les articulations. Mais, comme la digestion détruit parfois ses principes actifs, on l'utilise surtout aujourd'hui en **voie perlinguale**.

L'échinacée : une immunité maximale
Des études ont confirmé son action stimulante sur le système immunitaire. Elle contient également des principes actifs, les échinachosides, qui possèdent un effet antibiotique. En prévention, elle permet d'éviter les maladies infectieuses et, en traitement, elle aide à s'en débarrasser plus rapidement. On la trouve sous forme de gélules, teintures-mères, pommades...

Le mélaleuca : la panacée antibobos
Son huile, à la puissante action bactéricide et anti-fongique, soigne à merveille infections vaginales, problèmes dermatologiques, brûlures, acné...

TROUVER

POUR UN BON USAGE DES PLANTES, 38 ÉLIXIRS FLORAUX ET 20 HUILES ESSENTIELLES SONT PRÉSENTÉS. POUR CHACUN, RETROUVEZ LEUR UTILISATION, LEUR INDICATION, LEURS VERTUS. TESTEZ VOS CONNAISSANCES EN PHYTOTHÉRAPIE ET SUR LES PLANTES EN GÉNÉRAL. POUR EN SAVOIR PLUS UNE BIBLIOGRAPHIE, DES ADRESSES, DES SITES INTERNET...

LES **PAGES** JAUNES

Le Gland et la citrouille
Jean de La Fontaine, 1671

**L'extraordinaire complexité des plantes n'a d'égal que leur efficacité
thérapeutique. Qui mieux que Jean de La Fontaine pouvait,
au détour d'une fable, illustrer l'incomparable habileté de la nature ?
Conformément aux règles de l'ordre moral du XVIIe siècle, le fabuliste
place Dieu aux commandes de l'ordre naturel. Chacun peut aisément
remplacer ce vocable par celui qui lui convient, sans jeter d'ombre sur
la démonstration !**

Dieu fait bien ce qu'il fait. Sans en chercher la preuve,

En tout cet univers et l'allant parcourant,

Dans les citrouilles je la trouve.

Un villageois, considérant

Combien ce fruit est gros et sa tige menue :

« À quoi songeait, dit-il, l'auteur de tout cela ?

Il a bien mal placé cette citrouille-là.

Hé parbleu ! je l'aurais pendue à l'un des chênes que voilà ;

C'eût été justement l'affaire :

Tel fruit, tel arbre, pour bien faire.

C'est dommage, Garo, que tu n'es point entré

Au conseil de celui que prêche ton curé :

Tout en eût été mieux ; car pourquoi, par exemple, le gland

Qui n'est pas gros comme mon petit doigt,

Ne pend-il pas en cet endroit ? »

Dieu s'est mépris : plus je contemple ces fruits ainsi placés,

Plus il semble à Garo que l'on a fait un quiproquo.

Cette réflexion embarrassant notre homme :

« On ne dort point, dit-il, quand on a tant d'esprit. »

Sous un chêne aussitôt il va prendre son somme.

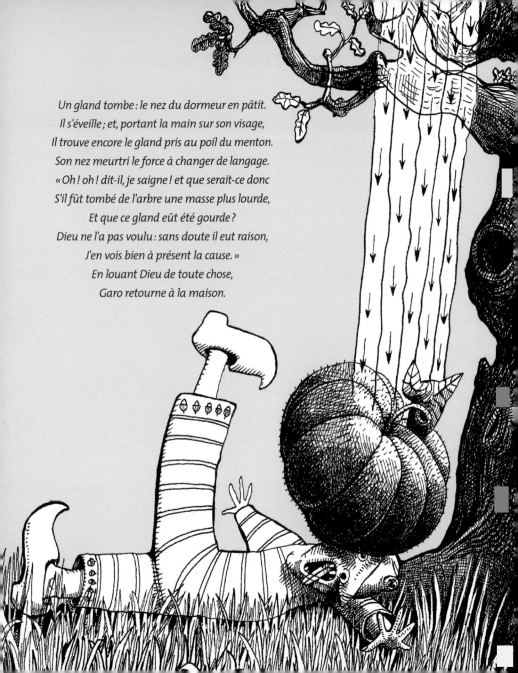

Un gland tombe : le nez du dormeur en pâtit.
Il s'éveille ; et, portant la main sur son visage,
Il trouve encore le gland pris au poil du menton.
Son nez meurtri le force à changer de langage.
« Oh ! oh ! dit-il, je saigne ! et que serait-ce donc
S'il fût tombé de l'arbre une masse plus lourde,
Et que ce gland eût été gourde ?
Dieu ne l'a pas voulu : sans doute il eut raison,
J'en vois bien à présent la cause. »
En louant Dieu de toute chose,
Garo retourne à la maison.

Les Langages secrets de la nature
Jean-Marie Pelt

Jean-Marie Pelt, professeur de biologie végétale et de pharmacognosie à l'université de Metz, président de l'Institut européen d'écologie, est un magicien de la vulgarisation végétale.

Cet amoureux de la nature a publié de nombreux ouvrages dans lesquels il raconte, avec la verve et la tendresse d'un homme épris parlant de sa belle, les exploits permanents auxquels se livrent les plantes à notre insu.

Jean-Marie Pelt nous entraîne à la découverte de la sensibilité des végétaux et de leur langage. Oui, les plantes souffrent lorsqu'elles sont maltraitées ! Mieux : elles s'en souviennent...

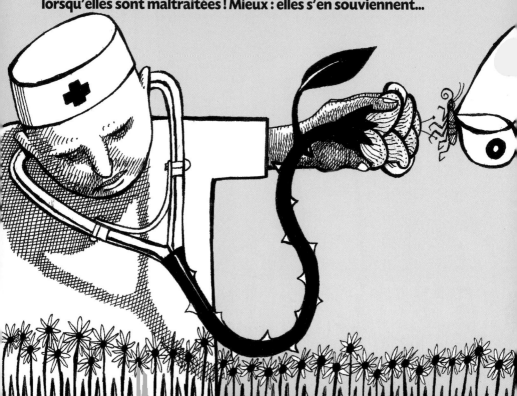

Les plantes souffrent aussi...

« Une question simple, les plantes ont-elles une mémoire. Réponse : il semble que oui, même si celle-ci reste rudimentaire et ne s'applique qu'à des faits particuliers se rapportant à leur état de santé.

Les chercheurs ont d'abord travaillé sur la bryone, une plante grimpante qui produit de jolies baies rouges, courante dans les jardins et dont les vrilles s'enroulent en tire-bouchon ou en ressort ; sa croissance est rapide et vigoureuse d'où l'origine de son nom qui vient du grec *bruo* (pousser avec vigueur). La plante forme une feuille et une vrille chaque jour : elles sont alors séparées de celles des jours précédents par des entre-nœuds qui atteignent leur allongement maximal en 48 heures environ. C'est sur un tel entre-nœud que nos chercheurs ont pratiqué un frottement simulant une agression. Ils ont alors constaté que cet entre-nœud réduisait sa croissance et fabriquait dans ses tissus plus de bois que les autres.

Ainsi se confirme l'effet du contact, du frottement ou de la pression sur la croissance des plantes. Jusqu'ici, il s'agit d'un simple réflexe, induisant la classique réaction de contraction et de tassement : c'est la première phase l'expérimentation. La deuxième sera encore plus probante.

La mémoire de la plante peut être vérifiée de façon spectaculaire en pratiquant des cultures de tissus en laboratoire. C'est ce qu'on a fait avec des tissus de bryone sur milieu artificiel et nutritif, obtenant ce que les spécialistes appellent un cal, c'est-à-dire une culture primaire formée d'un amas de cellules indifférenciées. Il est aisé, ensuite, de prélever un fragment de ce cal, de le replanter sur le milieu nutritif et de le faire proliférer à son tour ; puis de reprendre sur cette culture un autre fragment, et ainsi de suite.

Les chercheurs ont pu démontrer que les "sous-cultures" successives se "souviennent" de l'irritation première, et ce, jusqu'à la quatrième génération : on remarque en effet que la teneur en bois des tissus reste plus élevée. Bref, la mémoire de l'irritation se transmet à travers la lignée des cellules cultivées jusqu'aux arrière-petites-filles des cellules initiales, comme si ce caractère était devenu héréditaire ! Voilà de quoi faire trembler ceux, si nombreux, qui nient la possible hérédité des caractères acquis ! Le phénomène se produit, il est vrai, en dehors de toute reproduction sexuée. [...]

Pour la bryone, le message d'inhibition de la croissance peut être stocké en mémoire durant plusieurs semaines. Il peut rester latent jusqu'à ce que d'autres stimulations appliquées au végétal entraînent l'expression du message mémorisé.

On raconte qu'il existait, en Inde, jusqu'au siècle dernier, une étrange coutume consistant à fouetter les cotonniers en cours de croissance, sans doute pour la freiner et intensifier ainsi la production. [...] Finalement, il y a tout lieu de croire que, dans des conditions climatiques défavorables (sécheresse, températures excessives, excès de vent...), les plantes emmagasinent un message d'inhibition dont les effets différés peuvent se manifester à long terme. On vient de démontrer au Canada que les arbres d'une même population, après une première sécheresse dont ils se sont apparemment remis en moins de dix ans, se comportent différemment lors d'une seconde, vingt-cinq ans plus tard : les uns récupèrent rapidement, alors que d'autres dépérissent. Y aurait-il eu inégale mémorisation du premier message ? ».

Édition Fayard, 1996.

Êtes-vous coquelicot, palmier ou lavande ?

Des médecins font des plantes un usage original. Ainsi, le docteur Bernard Vial, pour qui les plantes sont capables de soigner nos blessures affectives, celles-là mêmes qui sont à l'origine de nombreuses maladies.
Un article publié dans le magazine *Médecine Douce* **(juillet-août 1993) sous la plume de Françoise Nahmias faisait le point sur cette étonnante démarche phytothérapeutique. En voici quelques extraits.**

Qu'est-ce que la médecine affective ?

« "Toute maladie est un mal dit, une incapacité à exprimer ou à faire entendre une souffrance d'ordre affectif." Cette idée, défendue par le docteur Vial, sous-tend toute la logique de sa "médecine affective". Ainsi, derrière la bronchite se cacherait, bien souvent, "un milieu familial enflammé" et derrière l'asthme "un chant d'amour étouffé".
La réflexion originale du docteur Vial le conduit à explorer l'affectif, le terrain négligé des émotions et des sentiments profonds, pour y lever les barrages générateurs de troubles grâce aux plantes médicinales appropriées.
Cette nouvelle médecine repose sur deux hypothèses. D'une part, un remède végétal bien ciblé peut modifier l'orientation affective d'un patient qui présente une affection diagnostiquée, et par-là même améliorer ses troubles. D'autre part, les protéines du sérum sanguin constituent le support biologique de cette affectivité. [...]
Ces protéines sériques seraient sensibles aux échecs et aux déceptions. Elles portent donc les "cicatrices" affectives de chaque être.

Une fois les évènements imprimés, ces molécules sanguines transmettent aux organes cette information négative, source de somatisation.
Il s'agit, grâce à un remède végétal précis, apportant une nouvelle information au niveau des protéines sériques, de cibler les tensions affectives perturbatrices et de les faire émerger. Cette information stoppe le harcèlement émotionnel et diminue les risques de somatisation. La structure protéique, guérie de sa "blessure affective", se trouve à nouveau disponible pour d'autres émotions. Pour parvenir à ce résultat, on peut ingérer la plante, mais aussi s'en entourer, la respirer...
Cette pratique médicale découle d'une série d'observations et d'expérimentations réalisées sur le terrain par plus de 200 médecins généralistes, en France, depuis près de 20 ans. À ce jour, "l'impact affectif" de 1200 plantes a été identifié. [...]. »

Choisissez, parmi
les plantes, celles
que vous aimez
particulièrement.
Elles vous révéleront
le jardin secret
de vos sentiments
en entrant en
résonance avec votre
sensibilité profonde.
Si vous savez vous
en entourer, elles
deviendront les
« accordeurs » de vos
affects perturbés !

LES FLEURS

PLANTE	VOUS ÊTES...	VOUS DEVIENDREZ...
Rose	... rigide, intolérant, coupé de toute joie, fermé aux autres.	... généreux mais très attaché à vos principes.
Lis	... sujet à une angoisse permanente qui paralyse votre spontanéité.	... doté d'un sens subtil de l'humour qui tempérera votre gravité.
Coquelicot	... très timide, éternel adolescent, vous vous sentez inapte à la vie adulte.	... ouvert à la nouveauté, d'une grande disponibilité affective.
Narcisse	... en manque d'amour et de tolérance vis-à-vis de vous-même.	... indulgent pour les autres et lucide pour vous-même.
Pervenche	... toujours dans une insécurité affective qui tourne à l'orgueil ; cynique, vous avez le goût des défis pour prouver votre supériorité.	... sûr de vous, sans ressentir le besoin de compétition, avec les autres et avec vous-même.

LES ARBRES		
PLANTE	**VOUS ÊTES/AVEZ …**	**VOUS DEVIENDREZ …**
Chêne	… du mal à affirmer votre autonomie dans le milieu familial, coincé entre sécurité et autorité.	… indépendant, responsable, solide ; vous saurez aider les autres à surmonter leurs difficultés.
Olivier	… en proie à un ressentiment sauvage, vous menez des combats sans merci.	… un esprit clair, pondéré, bienveillant et courtois, sans familiarité excessive.
Pin maritime	… sensible aux hommages et aimez jouer les protecteurs.	… courageux, altruiste, avec un besoin d'être reconnu tout en sachant défendre la veuve et l'orphelin.
Palmier	… le sentiment d'être un esprit supérieur qui se croit détenteur de la vérité. Vous devenez violent si on vous contrarie.	… un honnête homme qui possède magnificence et grandeur d'esprit.
Bouleau	… mal supporté l'échec d'une première relation amoureuse, et vous avez renoncé à la sexualité pour l'intellect.	… un esprit brillant, doté d'une grande intelligence des sens et du cœur, tout en étant dénué de pédantisme.

LES PLANTES D'APPARTEMENT		
PLANTE	**VOUS ÊTES/AVEZ …**	**VOUS DEVIENDREZ …**
Caoutchouc	… tendance à vous déssécher par manque de contact avec la réalité.	… attentifs envers vos amis et vous relativiserez les questions matérielles.
Philodendron diffenbacchia	… le sentiment d'être toujours trahi, calomnié, vous oscillez entre colère et désarroi.	… capable de refuser la facilité, vous saurez rompre avec les situations qui ne vous conviennent pas.
Bégonia	… le souci extrême de la perfection, et des désirs confus.	… capable de tirer profit de vos erreurs et de vous engager malgré vos doutes.
Hortensia	… prisonnier des querelles familiales.	… un idéaliste qui refuse les relations de pouvoir.
Géranium	… un esprit agité qui se fixe des buts qu'il n'atteint jamais.	… indépendant et courageux, capable de vous affirmer quel que soit l'entourage.

LES ÉPICES

PLANTE	VOUS ÊTES/AVEZ…	VOUS DEVIENDREZ…
Cannelle	… le sentiment d'être diminué si les autres ne vous renvoient pas une image brillante de vous-même.	… modeste, amoureux de la transparence, détestant le manque de sincérité.
Noix de muscade	… susceptible, infantile dans vos relations amoureuses, tyrannique à cause de votre fragilité cachée.	… un esprit ludique et charmeur qui a recours au monde de l'enfance pourégayer le quotidien.
Girofle	… changeant, passant avec obstination d'une confiance en vous démesurée à une totale auto-dépréciation.	… capable de vous passer de l'approbation d'autrui et de vous adapter à tous les milieux.
Poivre	… incapable d'exprimer vos désirs par peur de transgresser les lois.	… animé d'un profond sens des valeurs. Vous vous engagerez de façon durable si vous êtes sûr de vos sentiments.
Gingembre, curry	… d'une timidité maladive et vous éprouvez le besoin de vous sentir protégé par votre entourage.	… capable de vivre votre vie tout en ménageant vos proches et en bousculant les conventions lorsque l'enjeu le mérite.

LES HERBES

PLANTE	VOUS ÊTES/AVEZ…	VOUS DEVIENDREZ…
Bourrache	… persuadé que vous devez expier une faute commise par un membre de votre entourage.	… capable de poser sur autrui un regard tolérant et sans préjugé.
Trèfle	… tendance à vous perdre dans les préoccupations quotidiennes pour fuir la réalité.	… organisé, efficace, disponible, souple d'esprit.
Lavande	… épuisé par le flux incessant des petites disputes familiales.	… un pacificateur qui connaît la juste mesure des choses.
Prêle	… un éternel incompris, trop vulnérable pour vous défendre. Vous éprouvez en permanence un sentiment d'injustice.	… d'une grande souplesse d'esprit et vous allez acquérir le sens de la relativité des choses.
Ortie	… le sentiment d'être victime et vous restez traumatisé par les expériences affectives douloureuses.	… chaleureux et ironique et ne vous laisserez pas facilement apprivoiser.

La fin des idées reçues

On a dit beaucoup de choses sur la médecine par les plantes.
Tout et son contraire ! Certaines idées fausses ont la vie dure,
alors que certaines vérités ont bien du mal à être considérées
comme exactes. Le point sur quelques idées reçues.

1 - Les herboristes n'existent plus.	**5 - Les nouveaux modes de conditionnement ont remis les plantes au goût du jour.**
VRAI FAUX	VRAI FAUX
2 - La phytothérapie n'est pas une médecine douce.	**6 - Les plantes sont moins efficaces que les médicaments chimiques.**
VRAI FAUX	VRAI FAUX
3 - La phytothérapie est une médecine dépassée.	**7 - On peut tout soigner avec les plantes.**
VRAI FAUX	VRAI FAUX
4 - Les enfants et les personnes âgées ne doivent pas se soigner avec des plantes.	
VRAI FAUX	

1 - VRAI. En 1941, le gouvernement de Vichy a supprimé le diplôme d'herboriste. Depuis, l'enseignement des plantes fait partie du cadre des études de pharmacie. À l'époque, il fallait trois années d'études pour être herboriste diplômé. Les herboristes exerçant encore leur profession en France sont de moins en moins nombreux. Il y a dix ans, ils étaient moins de cinquante et leur moyenne d'âge avoisinait les 80 ans.

2 - VRAI. C'est une médecine naturelle, elle peut être toxique et dangereuse. C'est pourquoi il ne faut pas se lancer dans un traitement sans l'avis d'un spécialiste (herboriste, pharmacien, médecin, thérapeute) et il est nécessaire de suivre scrupuleusement les conseils de préparation. D'autant que même les plantes non toxiques peuvent entraîner des troubles si elles sont mal utilisées : trop de réglisse provoque de l'hypertension artérielle ; trop de pissenlit épuise les réserves en potassium.

3 - FAUX. La médecine par les plantes est certes très ancienne, puisque son origine se perd dans les brumes de l'aube de l'humanité. Mais la science actuelle a confirmé l'efficacité thérapeutique des plantes. Dans l'immense majorité des cas, les chercheurs découvrent, au cœur des végétaux, des substances qui confirment et expliquent leurs usages traditionnels.

4 - FAUX. Les plantes conviennent à tous les âges. Mais avec les enfants et les personnes âgées notamment, il convient de ne pas improviser et de suivre attentivement les conseils d'un spécialiste. En effet, les effets négatifs de certaines plantes sont d'autant plus importants que l'organisme qui les reçoit est jeune ou, au contraire, usé par les années.

5 - VRAI. Les plantes sont aujourd'hui conditionnées en gélules, ampoules, gouttes. Ce qui permet une utilisation plus simple et plus facile, mieux adaptée au rythme de la vie moderne.

6 - VRAI ET FAUX. Près de 70 % des médicaments que nous consommons dans le monde occidental sont issus des plantes. Comme eux, les plantes médicinales contiennent des principes actifs qui exercent une action biologique directe sur l'organisme. Mais les médicaments contiennent le plus souvent un seul principe actif, alors que les plantes ont une structure beaucoup plus complexe. Les premiers ont donc une action plus précise et plus rapide, mais souvent associée à des effets secondaires gênants, alors que les secondes agissent plus lentement mais sont souvent mieux tolérées par l'organisme.

7 - FAUX. Il ne faut pas leur demander plus qu'elles peuvent apporter ! Elles sont impuissantes à venir à bout des maladies graves (cancers, sida, maladies auto-immunes). Elles constituent cependant des traitements d'appoint intéressants. En outre, il ne faut pas oublier que c'est au cœur des plantes que les chercheurs du monde entier espèrent trouver les médicaments capables de guérir demain ces maladies aujourd'hui incurables.

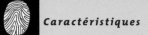
Les huiles essentielles

Apprenez à utiliser les huiles essentielles, extraits de plantes aromatiques, pour soigner le corps et, pour panser l'âme et corriger le caractère, les élixirs floraux, extraits subtils de fleurs.

	DES EXTRAITS DE PLANTES
HUILE	**VERTUS**
Aïl *(Allium sarivum)*	Antiseptique, hypotenseur, antivirale.
Arbre à thé *(Mélaleuca alternifolia)*	Antiseptique, fongicide, antibiotique, antivirale.
Basilic *(Ocimum basilicum)*	Analgésique, expectorante, tonique.
Bois de rose *(Rosa centifolia)*	Antiseptique, sédative.
Bergamote *(Citrus bergamia)*	Antiseptique, stimulante.
Camomille *(Matricaria)*	Anti-inflammatoire, sédative, antispasmodique.
Cannelle *(Cinamomum)*	Antiseptique, analgésique, anti-inflammatoire, tonique.
Citron *(Citrus limonum)*	Antiseptique, tonique, diurétique, astringente.
Cumin *(Cuminium cyminum)*	Digestive.
Eucalyptus *(Eucalyptus globulus)*	Antiseptique, anti-inflammatoire, analgésique, expectorante, balsam
Genièvre *(Juniperus communis)*	Antispasmodique, antiseptique, stimulante, carminative, diurétique.
Jasmin *(Jasminum officinale)*	Sédative, tonique, hydratante.
Lavande *(Lavandula officinalis)*	Antiseptique, antivirale, analgésique, sédative.
Menthe poivrée *(Mentha piperita)*	Stimulante, analgésique, antiseptique, hépatique.
Néroli *(Citrus aurantium)*	Sédative, hypnotique, antiseptique, hypotenseur.
Origan *(Origanum vulgare)*	Antiseptique, antivirale, anti-inflammatoire, apéritive.
Romarin (*Rosmarinus officinalis*)	Antiseptique, antifongique, diurétique, stimulante, antidépressive.
Thym *(Thymus vulgaris)*	Antiseptique, antivirale, anti-inflammatoire, tonique.
Verveine *(Verbena officinalis)*	Tonique, digestive, antiseptique.
Ylang-Ylang *(Cananga odorata)*	Sédative, antidépressive, hypotenseur.

INDICATIONS	UTILISATION
Blessures, hypertension, toux, rhume.	Frictions, ingestion.
Mycose, candidose, maladies infectieuses.	Inhalations, compresses, bains, massages.
Fatigue, migraine, rhume, toux, nausées.	Inhalations, ingestion, frictions, bains.
Problèmes de peau, rides, stress.	Massages, frictions, bains.
Déprime, fatigue, problèmes de peau.	Inhalations, compresses, bains, frictions,
Stress, anxiété, insomnie, inflammation, maux d'estomac.	Compresses, ingestion, bains.
Maladies infectieuses, maladies respiratoires, fatigue.	Ingestion, inhalations, massages, frictions.
Fatigue, problèmes de peau, infections, verrues.	Compresses, bains, gargarismes, ingestion, massages.
Indigestions, troubles hépatiques.	Ingestion, frictions.
Maladies des bronches, herpès, cystite, rhumatisme.	Massages, inhalations, frictions, bains.
Problèmes hépatiques, infections urinaires, rhumatismes, cellulite.	Bains, ingestion, massages, frictions.
Stress, nervosité, déprime, peaux sèches.	Ingestion, massages, frictions, bains.
Brûlures, infections de la peau, stress, insomnie, anxiété, maux de tête.	Massages, bains, frictions, ingestion.
Nausées, maux de tête, rhume, fatigue, choc émotionnel.	Ingestion, inhalations, compresses, frictions.
Problèmes de peau, stress, insomnies, hypertension.	Bains, massages, frictions, compresses.
Maladies respiratoires, infections virales, perte d'appétit.	Ingestion, massages, frictions, compresses, bains.
Fatigue, foulure, entorse, rétention d'eau, rhumatismes.	Ingestion, massages, frictions, bains.
Maladies infectieuses, maladies virales, fatigue, rhumatismes.	Ingestion, inhalations.
Fatigue, indigestion.	Ingestion, massages, frictions.
Stress, nervosité, anxiété, déprime, hypertension.	Bains, massages, frictions, diffusion dans l'atmosphère.

Les 38 élixirs floraux du docteur Bach

LA SUBTILITÉ DES FLEURS		
ÉLIXIR	**FLEUR D'ORIGINE**	**INDICATIONS**
Agry-mony Aigremoine	*Agrimonia eupatoria*	Aide à retrouver la paix intérieure et l'harmonie à ceux qui cachent leur mal-être sous une gaieté de surface.
Gorse Ajonc	*Ulex europaeus*	Aide ceux qui ont perdu tout espoir à accepter les difficultés de la vie.
Chesnut bud Bourgeons de marronnier	*Aesculus hippo-castanum*	Renforce les capacités d'adaptation, redonne le goût de la vie.
Heather Fausse Bruyère	*Calluna vulgaris*	Corrige les excès d'égoïsme, apporte détente et calme intérieur. Permet de s'intéresser à nouveau aux promesses d'autrui.
Centaury Centaurée	*Centaurium umbellatum*	Redonne de la volonté, renforce la capacité de s'affirmer et de trouver sa juste place.
Horn-beam Charme	*Carpinus betulus*	Renforce les motivations, ravive l'enthousiasme en cas de fatigue psychique.
Sweet chest-nut Châtaignier	*Castanea sativa*	Réveille l'espoir dans les moments d'angoisse extrême et de désespoir.
Oak Chêne	*Quercus robur*	Permet aux travailleurs infatigables, qui se chargent des problèmes des autres, de retrouver l'énergie et le sens de la mesure.
Honey-suckle Chèvrefeuille	*Lonicera caprifollium*	Aide les nostalgiques du passé à retrouver la joie au présent et à envisager l'avenir avec sérénité.
Chicory Chicorée	*Chicorim intibus*	Pour sortir de leur enfermement ceux qui sont excessivement possessifs, têtus, égocentriques ; aide à pardonner.
Clematis Clématite	*Celmatis vitalba*	Pour que ceux qui n'ont pas les pieds sur terre, se concentrent, vivent dans le présent, donnent corps à leurs projets.
Rock water Eau de roche	Eau pure issue de sources protégées	Aide les personnes trop rigoureuses avec elles-mêmes à retrouver le goût du plaisir et des sensations. Pour trouver la paix à l'intérieure.
Wild rose Églantier	*Rosa canina*	Aide les êtres amorphes, moroses et résignés à retrouver de l'enthousiasme et le goût de l'action
Star of Bethléem Étoile de Bethléem	*Ornithogallum ombellatum*	« Grand réconfortant ». Pour se remettre des chocs physiques et psychiques, récents ou anciens.
Wild oat Folle avoine	*Bromus ramosus*	Aide ceux qui peinent à trouver leur voie, malgré de grandes capacités ; pour qu'ils fassent les bons choix et donnent libre cours à leurs vraies valeurs.
Gentian Gentiane	*Gentiana amarella*	Réconforte les pessimistes, toujours mécontents et en proie au doute, leur redonne confiance et volonté.
Scleran-thus Gravelle annuelle	*Scleranthus anuus*	Conseillé aux personnes instables, d'humeur changeante, qui remettent toujours tout en question. Les stabilise et les aide à prendre des décisions.
Rock rose Hélianthème	*Helianthemum nummularium*	Remède des situations d'urgence. Pour surmonter la peur et les traumatismes, pour trouver le courage d'agir.

.IXIR	FLEUR D'ORIGINE	INDICATIONS
ech être	*Fagus sylvatica*	Corrige les êtres intolérants, toujours critiques, qui se croient détenteurs de la vérité.
olly oux	*Ilex aquifollium*	Remède de la jalousie, de la méfiance, de la suspicion permanente. Éveille à l'amour sincère.
npatiens npatience	*Impatiens glandulifera*	Calme les états de tension intérieure qui rendent irritable, impatient, coléreux, à fleur de peau. Permet de prendre le temps de vivre et de bien faire les choses.
hite chest-nut arronnier blanc	*Aesculus hippo-castanum*	Calme les flots incessants de pensées, le bavardage mental et aide à s'octroyer des moments de détente psychique et de paix.
d chest-nut arronnier rouge	*Aesculus carnea*	Aide ceux qui sont toujours inquiets pour les autres, même sans raison, et qui ont tendance à envisager le pire.
rch élèze	*Larix decidua*	Corrige le manque de confiance en soi, ainsi que le découragement par anticipation. Pour mieux accepter les échecs.
ustard outarde	*Sinapis arvensis*	Soulage les accès de mélancolie, de tristesse, voire de dépression profonde, lorsqu'ils sont récurrents mais de courte durée.
imulus uscade	*Mimulus guttatus*	Efface le sentiment quotidien d'insécurité et les peurs non exprimées, surtout chez les sujets timides et sensibles.
arlet monkey-flower uscade rouge	*Mimulus cardinalis*	Calme les colères rentrées et l'agressivité non exprimée en permettant une meilleure affirmation de soi.
'alnut oyer	*Juglans regia*	« Briseur de chaînes », qui aide à sortir des situations anciennes pour mieux aborder les nouvelles. Pour gérer les passages.
m rme	*Ulmus procera*	Pour ceux qui prennent des responsabilités importantes, mais qui dépriment souvent parce qu'ils ont trop à assumer.
ne n sylvestre	*Pinus sylvestris*	Aide ceux qui se sentent toujours coupables et qui sont trop critiques vis-à-vis d'eux-mêmes.
erato umbago	*Ceratostigma villmotiana*	Aide ceux qui ont du mal à prendre des initiatives et s'en remettent toujours aux autres. Pour faire des choix et les assumer.
abe apple ommier sauvage	*Malus pumila*	Calme l'agitation de ceux qui sont obsédés par la propreté et la pureté et qui se font une montagne du plus petit problème.
herry plum unus	*Prunus cerasifera*	Pour donner une meilleure maîtrise d'eux-mêmes à ceux qui ont peur de perdre le contrôle, qui se sentent à bout de nerfs.
illow aule	*Salix vitellina*	Aide les rancuniers qui rejettent toujours la faute sur les autres, sans oser le leur dire en face.
ervain erveine	*Verbena officinalis*	Corrige l'excès d'optimisme de ceux qui pensent être toujours dans leur bon droit et veulent imposer leurs vues aux autres. Donne plus de tolérance et de pondération.
ine igne	*Vitis vinifera*	Corrige les êtres inflexibles, orgueilleux, dirigistes et les aide à développer des qualités d'écoute et de respect.
ater violet olette	*Viola odorata*	Remède des grands timides, effacés, sensibles, qui ont du mal à s'imposer et se mettent en retrait pour se protéger.
escue remedy emède d'urgence	Hélianthème, étoile de Bethléem, impatience, prunus et clématite	Aide à surmonter tous les chocs physiques et psychiques et permet de faire face aux situations d'urgence.

Bibliographie

L'univers des plantes

Jacques Brosse, *La Magie des plantes,* Espaces libres, Albin Michel, 1990.
Un voyage chez les végétaux excentriques (plantes carnivores, cactées hallucinogènes...) et au cœur des croyances qui s'y rattachent.

Jean-Marie Pelt, *La Médecine par les plantes,* Fayard, 1981.

Jean-Marie Pelt, *Drogues et plantes magiques,* Fayard, 1983.

Jean-Marie Pelt, *La Prodigieuse Aventure des plantes,* Fayard, 1981.

Jean-Marie Pelt, *La Vie sociale des plantes,* Fayard, 1983.

Jean-Marie Pelt, *Mes plus belles histoires de plantes,* Fayard, 1986.
Quelques-uns des principaux ouvrages d'un infatigable amoureux du règne végétal.

P. Tomkins et C. Bird, *La Vie secrète des plantes,* Pocket, 1975.
Des expériences étonnantes révèlent la sensibilité des végétaux.

La phytothérapie classique

Michael Castelman, *Les Plantes qui guérissent,* Rodale/Presses du Châtelet, 1997.
Un livre complet sur la médecine par les plantes, à la fois informatif et pratique.

Andi Clévely et Katherine Richmond, *Plantes et herbes aromatiques,* Larousse, 1996.
Le tour d'horizon des plantes aromatiques qui possèdent de grandes vertus médicinales.

Marie-Antoinette Mulot, *Secrets d'une herboriste,* édition le Dauphin, 2000.
Le principal ouvrage de la dernière herboriste diplômée de France, présentant dans le détail 250 plantes médicinales et leurs applications.

Danielle Roux, *Phyto Femme,* Hachette/Similia, 1999.

Danielle Roux, *Phyto Beauté,* Hachette /Similia, 1998.

Docteur Daniel Scvimeca, *Phyto Fatigue*,
Hachette/Similia, 1997.
Chaque ouvrage de cette collection est consacré
à un point précis de la phytothérapie et propose
une approche phytothérapeutique correspondante.

Docteur Willi Schaffner, *Les Plantes médicinales et leurs propriétés*, Delachaux et Niestlé, 1993.
Un livre très illustré présentant les plantes et leurs
applications.

B. Ticli, *Les Herbes médicinales les plus puissantes
et les plus efficaces.*, De Vecchi, 1998.
Un recueil des plantes les plus courantes, détaillées
et assorties de recettes de santé.

Bernard Vial, *Botanique médicale*, Similia, 1998.
Une approche originale des plantes, qui propose une
grille de correspondance entre les végétaux et les affects
humains.

L'aromathérapie

Jean-Louis Abrassart, *Aromathérapie essentielle*,
Trédaniel, 1997.
Tout l'univers des essences de plantes présenté
par un thérapeute spécialisé.

Cathy Hopkins, *Les Bienfaits de l'aromathérapie*,
Hachette, 1998.
Une introduction à l'aromathérapie présentant
50 huiles essentielles et leurs usages.

Claire Maxwell-Hudson, *Le Bien-être par les huiles
essentielles*, Hachette, 1994.
19 huiles essentielles expliquées et illustrées, avec leur
histoire, leurs vertus et les massages pour les utiliser au
quotidien.

Les élixirs floraux

Docteur Bach, *Écrits originaux*, Le courrier du Livre, 1994.
Une sélection d'articles, d'essais et de conférences du
docteur Bach, créateur des élixirs floraux. Pour mieux
comprendre sa démarche.

Ronald Mary et Philippe Menechi, *Le Guide familial
des élixirs floraux*, Sully, 1995.
Un guide très complet pour connaître l'histoire
des élixirs floraux, leurs vertus et leurs applications.

L'homéopathie

Docteur Alain Horvilleur, *Le Guide familial
de l'homéopathie*, Hachette, 1999.
Un ouvrage qui permet de se soigner et de soigner
ses proches.

Docteurs Andrew Lockie et Nicola Geddes, *Homéopathie,
principes et traitements*, Sélection du Reader's Digest,
1996.
Une introduction illustrée à la médecine
homéopathique et à son utilisation des plantes.

La médecine anthroposophique

Victor Bott, *La Médecine anthroposophique*, Triades, 1998.
Les fondements de la médecine anthroposophiques,
exposés et expliqués, y compris l'usage des plantes.

La médecine chinoise

Angela Hicks, *Se soigner par la médecine chinoise*,
Hachette, 1999.
Une introduction à la médecine chinoise.

Daniel P. Reid, *La Médecine chinoise par les herbes*,
Olizane, 1993.
Présentation illustrée de la phytothérapie chinoise
et la façon de l'utiliser en Occident.

Docteur Chen You-Wa, *Les Plantes médicinales chinoises*,
Robert Laffont, 1990.
Comment utiliser, aujourd'hui en France,
la phytothérapie traditionnelle chinoise.

La médecine ayur-védique

Gérard Edde, *Traité d'ayurvéda*, Trédaniel, 1996.
Un traité complet pour comprendre et appliquer
la médecine ayur-védique et son usage des plantes.

Guy Mazars, *La Médecine indienne*, PUF, 1995.
Une introduction à la médecine et à la phytothérapie
indiennes d'aujourd'hui.

La médecine tibétaine

Tenzin Choedrak, *Le Palais des arcs-en-ciel*, Albin Michel,
1998.
L'autobiographie du médecin personnel du dalaï-lama,
et son approche de la phytothérapie tibétaine.

Tenzin Choedrak, *Introduction à la médecine tibétaine*,
Dangles, 1996.
Une bonne explication des bases de cette médecine
à forte teneur philosophique.

Tseuwang Dolkar Khankar, *Médecine tibétaine*,
Trédaniel, 1999.
Pour comprendre et appliquer la médecine tibétaine.

Le chamanisme

Bernard Baudouin, *Le Chamanisme*, De Vecchi, 1999.
Une introduction au monde initiatique du chamanisme.

Kenneth Meadows, *L'Envol de l'aigle*, Pocket, 1998.
Comment suivre la voie chamanique, programme
organisé par un universitaire anglais à partir
des méthodes traditionnelles des chamans.

Piers Vitebsky, *Les Chamanes*, Sagesses du monde,
Albin Michel, 1996.
En texte et en images, les pratiques des chamans
du monde entier.

Associations

RENCONTRER DES SPÉCIALISTES

SOCIÉTÉ FRANÇAISE DE PHYTOTHÉRAPIE
Des médecins et des chercheurs réunis pour faire avancer la médecine par les plantes et les huiles essentielles. Délivre des adresses de médecins spécialisés dans toutes les régions (uniquement par courrier).

19, boulevard Beauséjour 75016 Paris.

COLLÈGE DE PHYTO-AROMATHÉRAPIE ET DE MÉDECINE DE TERRAIN DE LANGUE FRANÇAISE
L'association, regroupant des médecins phyto et aromathérapeutes, tente de favoriser le développement de la recherche sur les propriétés des plantes médicinales et l'enseignement de leur utilisation cohérente.

127, boulevard Malesherbes, 75017 Paris.
Tél. 01 42 67 24 93.
www.chez.com/herenow/

Environnement

WWF (Fonds mondial pour la nature)
La première association internationale de protection de la nature, s'occupe, entre autres, de la protection des espaces naturels menacés, notamment de la protection des espèces végétales. Les serveurs du WWF proposent des actualités, des gestes pratiques, un suivi des programmes en cours.

188, rue de la Roquette, 75011 Paris.
Tél. 01 55 25 84 84.
Fax 01 55 25 84 74.
www.wwf.fr

GREENPEACE FRANCE
La plus militante des associations de protection de l'environnement s'occupe, notamment, de protéger les espèces végétales.

21, rue Godot-de-Mauroy 75009 Paris.
Tél. 01 53 43 85 85.
Fax 01 42 66 56 04.
www.greenpeace.fr

Enseignement

SUIVRE UN ENSEIGNEMENT

ASSOCIATION POUR LE RENOUVEAU DE L'HERBORISTERIE
L'association se bat pour le renouveau de cette profession disparue. Un enseignement sur l'herboristerie est dispensé.

92, rue Balard, 75015 Paris.
Tél. 01 45 58 66 58.
Fax 01 45 57 23 83.

SOCIÉTÉ FRANÇAISE D'ETHNO-PHARMACOLOGIE
Un recensement permanent du savoir en ethnopharmacologie, des recherches effectuées, des découvertes... plus un enseignement annuel à cette spécialité.

1, rue des Récollets, 57000 Metz.
Tél. 03 87 74 88 89.

SYNDICAT NATIONAL DE L'HERBORISTERIE
Le syndicat s'occupe de la défense de la profession d'herboriste et de la formation de nouveaux candidats, ainsi que de la formation de détaillants amenés à vendre des plantes médicinales (magasins de diététique, magasins bio, parapharmacies...).

2, quai Jules-Courmont, 69002 Lyon
Tél. 04 78 37 49 66.

LES ÉLIXIRS FLORAUX

ASSOCIATION GAÏA
B.P. 9
38880 Autrans.
Tél. 04 76 95 71 61.

RECHERCHE ET FORMATION SUR LES ÉLIXIRS FLORAUX

FLEURS ESSENCES ET HARMONIE
Information, formation, fabrication et distribution des élixirs floraux.

75bis, avenue de Wagram 75017 Paris.
Tél. 01 48 88 95 05.

CENTRE EDWARD-BACH
Le centre de recherche créé par Edward Bach lui-même, toujours en activité.

Mount Vernon. Sotwell, Wallingford, Oxon, OX 10 OPZ. England.

Internet

HERBIERS DE PLANTES MÉDICINALES

MEDICINAL PLANTS BOOK
Un index des plantes médicinales et un autre de l'ethnobotanique.

walden.mo.net/~tonytork/
plntbook.html

UNIVERSITÉ CATHOLIQUE DE LOUVAIN (BELGIQUE)
Un jardin de plantes médicinales à disposition de l'internaute.

www.md.ucl.ac.be/site_lew
/jpm

MEDICAL PLANTS NATIVE AMERICAN DATABASE
Présentation
de 2147 plantes,
avec leurs applications.

www.healthfinder.gov/text
/docs/Doc3709.htm

PLANTES MÉDICINALES
Un abécédaire de phytothérapie, qui propose une information complète sur les plantes médicinales.

http://home.nordnet.fr/
~vrodzko

LES RECHERCHES ACTUELLES

SOCIETY FOR MEDICINAL PLANT RESEARCH
L'état des recherches sur les plantes médicinales et les produits naturels.

www.uni-
dusseldorf.de/WWW/GA/pl
medica.htm

CLINICAL RESEARCH OF MEDICAL PLANTS USED IN HIV INFECTION
Le point sur les études cliniques portant sur l'utilisation de plantes médicinales dans le traitement des malades du sida.

www.exodus.it/poiesis/ENG
/report/clinical.html

UNIVERSITÉ DE LAUSANNE (Suisse)
Une mise au point permanente sur les plantes médicinales et les phytomédicaments qui en sont tirés.

http://unil.ch/stc/cours/pla
nts_medicinales.htlm

PHYTOTHÉRAPIE
Un site très documenté, qui propose des traitements par les plantes pour de nombreuses maladies, ainsi que des nouveautés, des informations sur la recherche...

www.chez.com/phyto

SE SOIGNER PAR LES PLANTES

ALMAROME
Un site spécialisé dans les médecines naturelles, et plus particulièrement la phytothérapie et les huiles essentielles. Informations pratiques, générales et une boutique pour acheter directement plantes et huiles essentielles.

www.almarome.com

MOATI PHYTEREM
Comment se soigner avec les plantes médicinales.

www.phyterem.fr

DÉCOUVRIR LES MÉDECINES TRADITION-NELLES

USO TRADICIONAL Y POPULAR DE LAS PLANTAS MEDICINAL
Les médecines traditionnelles et alternatives au Mexique. Notamment ce qui concerne la phytothérapie traditionnelle et son adaptation moderne.

www.cam.net/~tlahuic/pla
ntes.htm

PLANÈTE QUÉBEC
Un point sur l'usage des plantes médicinales aujourd'hui sur le continent nord-américain.

http://planete.qc.ca.sante.l
alco/

MEDICAL PLANTS OF THE RAINFOREST
Les plantes médicinales de la forêt tropicale, leurs vertus et ce qu'elles peuvent apporter à la médecine de demain.

www.geocities.com/RanFor
est/Canopy/2323/med.html

NATIVE AMERICAN HERBAL PLANT KNOWLEDGE
Les plantes et les herbes traditionnelles des Indiens d'Amérique du Nord

http://indy4.fdl.ce.mn.us/~i
sk/food.plant.html

DOCU-MENTATION

INSTITUT MÉDITERRANÉEN DE DOCUMENTATION ET DE RECHERCHES SUR LES PLANTES MÉDICINALES
Un journal, des actualités, le programme des cours un calendrier des manifestations...

www.imderplan.net

Minitel

3615 FLORINFO
Un serveur spécialisé dans la phytothérapie, qui propose des solutions aux problèmes de santé, des informations et des produits que l'on peut commander directement.

3615 MEDNAT
Une encyclopédie télématique des médecines naturelles, avec des informations, des solutions pratiques aux problèmes de santé et un choix de livres.

ACIDULÉ

Se dit des plantes légèrement acides qui calment la soif.

ADOUCISSANTE

Se dit des plantes qui calment les états inflammatoires.

ALCHIMIE

Science datant du Moyen Âge. Ancêtre teintée de magie de la chimie moderne. Les alchimistes cherchaient notamment le remède universel qui guérirait tous les maux et tentaient de réussir la transmutation des métaux en or.

ALCOOLATURE

Manipulation qui consiste à faire macérer des plantes dans de l'alcool pour en extraire les substances alcoolosolubles.

AMM

Autorisation de mise sur le marché. Elle permet aux médicaments d'être commercialisés et, éventuellement, remboursés par l'assurance-maladie. Cette autorisation est obtenue après un long parcours qui doit prouver l'efficacité du produit et son absence de toxicité.

ANALEPTIQUE

Se dit des plantes fortifiantes qui redonnent des forces aux malades et aux convalescents.

ANALGÉSIQUE

Se dit des plantes qui soulagent les douleurs.

ANTISEPTIQUE

Se dit des plantes qui empêchent la prolifération des germes (microbes, bactéries, virus...).

ANTISUDORIFIQUE

Se dit des plantes qui diminuent la transpiration.

APÉRITIVE

Se dit des plantes qui ouvrent l'appétit.

APHRODISIAQUE

Se dit des plantes qui excitent les sens, augmentent le désir et stimulent l'activité sexuelle.

AROMATHÉRAPIE

Branche de la phytothérapie qui consiste à soigner avec des huiles essentielles.

AROMATIQUE

Se dit des plantes contenant des substances de saveur et de parfum très appuyés, et dont on tire des huiles essentielles par distillation.

ASTRINGENTE

Se dit des plantes qui resserrent les tissus, notamment le réseau sanguin capillaire.

AYUR-VÉDIQUE (médecine)

Médecine traditionnelle de l'Inde ancienne. Elle s'appuie sur un ensemble de textes traditionnels à connotation philosophique et religieuse, les vedas.

BALSAMIQUE

Se dit des plantes qui stimulent les voies respiratoires.

BÉCHIQUE

Se dit des plantes qui calment la toux.

CARMINATIVE

Se dit des plantes qui facilitent l'expulsion des gaz intestinaux.

CHOLAGOGUE

Se dit des plantes qui facilitent l'évacuation des voies biliaires.

CHOLÉRÉTIQUE

Se dit des plantes qui stimulent la production de bile par le foie.

CORDIALE

Se dit des plantes qui stimulent l'activité du cœur et de l'estomac.

CRYOBROYAGE

Manipulation qui consiste à geler les plantes à très basse température, avant de les réduire en poudre.

DÉPURATIVE

Se dit des plantes qui facilitent l'élimination des déchets métaboliques et des toxines.

DILUTION

Manipulation qui consiste à mélanger des extraits de plantes avec un support neutre (eau, alcool...) pour en modifier l'effet.

DISTILLATION

Mode de fabrication principal des huiles essentielles. Les plantes sont chauffées, puis la vapeur passe dans un alambic à la sortie duquel l'essence de la plante est recueillie.

DIURÉTIQUE

Se dit des plantes qui augmentent le volume des urines et facilitent leur évacuation.

ÉLIXIR FLORAL

Extrait subtil de fleur, censé contenir son message énergétique. Les élixirs floraux servent à harmoniser les émotions et les états d'âme.

ÉMÉTIQUE

Se dit des plantes qui facilitent les vomissements.

EMMÉNAGOGUE

Se dit des plantes qui facilitent l'arrivée des règles.

ENFLEURAGE

Méthode qui permet de recueillir les huiles essentielles de fleurs. On laisse les fleurs reposer sur une couche de cire et on les distille ensuite.

EXPECTORANTE

Se dit des plantes qui facilitent l'évacuation des sécrétions bronchiques accumulées dans les poumons.

EXPRESSION

Désigne une technique utilisée pour recueillir l'huile essentielle des agrumes. Elle consiste simplement à presser la peau des agrumes où les essences sont concentrées dans de petites vésicules.

FÉBRIFUGE

Se dit des plantes qui font tomber la fièvre.

GALACTOGÈNE

Se dit des plantes qui favorisent la sécrétion du lait maternel.

GALÉNIQUE

Nom donné à la façon de conditionner les remèdes : pommades, gélules, gouttes, extraits, suppositoires... Ce nom vient de celui du médecin grec Claude Galien.

HÉMISYNTHÈSE

Manipulation qui consiste à isoler les molécules constituant les principes actifs des plantes, puis à en transformer la structure pour en modifier les effets.

HÉMOSTATIQUE

Se dit des plantes qui arrêtent les saignements et les hémorragies.

HÉPATIQUE

Se dit des plantes qui stimulent globalement le fonctionnement du foie.

HUILE ESSENTIELLE

Extrait huileux de plante aromatique, très riche en principes actifs (jusqu'à 100 fois plus que dans la plante d'origine).

HYGIÈNE

Ensemble des pratiques permettant de conserver au maximum un bon état de santé. L'hygiène de vie est l'ensemble des règles permettant d'avoir une vie saine (diététique, sommeil, activité physique...).

HYPNOTIQUE

Se dit des plantes qui facilitent le sommeil.

HYPOGLYCÉMIANT

Qui a la vertu de faire baisser le taux de glucides (sucre) dans le sang. Les plantes hypoglycémiantes sont utilisées notamment pour soigner le diabète.

HYPOLIPIDÉMIANT

Qui a la vertu de faire baisser le taux de lipides (graisses) dans le sang. Les plantes hypolipidémiantes sont utilisées notamment pour lutter contre l'excès de cholestérol.

INNOCUITÉ

Caractère d'un traitement médical (notamment d'une plante) qui ne présente aucun danger pour celui qui l'absorbe.

IN VITRO

Se dit des études réalisées sur des cellules et non sur des sujets entiers (plantes, animaux, humains...), et dont les résultats demandent à être confirmés par des études in vivo.

IN VIVO

Se dit des études réalisées sur des organismes entiers (plantes, animaux, humains...), et vivants.

IRRADIATION

Pratique qui consiste à faire passer les plantes sous un flux de rayons gamma pour empêcher la prolifération des germes et améliorer leur conservation.

NÉBULISAT

Produit obtenu en laissant tremper les plantes dans un mélange d'alcool et d'eau, puis en le faisant chauffer et passer à la centrifugeuse pour récupérer les principes actifs.

PATHOLOGIE

Partie de la médecine qui s'occupe de déterminer les causes et de prévoir l'évolution des maladies. Dans le langage courant, le terme est devenu synonyme de maladie.

PHYTOCHIMIE

Branche de la phytothérapie qui consiste à extraire les principes actifs des plantes et à en étudier la structure chimique pour y trouver des molécules susceptibles de donner naissance à des médicaments.

PHYTOTHÉRAPIE

Nom scientifique officiel de la médecine par les plantes. Le terme vient du grec phyton, qui signifie plante, et thérepeuein, qui signifie soigner.

PHYTOTHÉRAPIE D'EXTRACTION

Branche de la phytothérapie qui consiste à extraire les principes actifs des plantes et à les conditionner de la même manière que les médicaments chimiques.

PROPHYLACTIQUE

Se dit des méthodes destinées à empêcher l'apparition des maladies.

RÉVULSIVE

Se dit des plantes qui décongestionnent les organes internes.

SÉDATIVE

Se dit des plantes qui calment la nervosité, l'angoisse et l'anxiété.

STERNUTATOIRE

Se dit des plantes qui provoquent des éternuements.

STIMULANTE

Se dit des plantes qui stimulent le système nerveux végétatif.

STOMACHIQUE

Se dit des plantes qui stimulent globalement l'activité de l'estomac.

SUDORIFIQUE

Se dit des plantes qui augmentent la transpiration.

SYNERGIE

Action conjuguée des différents principes actifs contenus dans une même plante. La synergie donne parfois naissance à des vertus que l'on ne peut attribuer à un principe actif précis, qui naissent de la collaboration de cet ensemble.

TANINS

Substances contenues dans de nombreuses plantes, qui les rendent plus résistantes. Les tanins ont des vertus thérapeutiques.

TERRAIN

Ce qui fait le caractère particulier de chaque individu en matière de santé. Le terrain est la façon personnelle de réagir aux maladies, avec les points faibles, les risques, mais aussi les points forts. Certaines démarches médicales, comme l'acupuncture, l'homéopathie, la phytothérapie... se disent médecines de terrain car elles essaient d'adapter le traitement au malade en particulier et non à la maladie en général.

THÉRAPEUTIQUE

Partie de l'art médical qui se rapporte à la façon de soigner les malades,

par opposition à d'autres branches comme le diagnostic par exemple.

TITRAGE

Un extrait titré est un extrait de plante dans lequel la teneur en principes actifs est toujours identique. Le titrage est la pratique qui permet d'obtenir cette stabilité, inexistante à l'état naturel.

TOTUM

Désigne la plante (ou la partie de la plante) utilisée entière. L'emploi du totum s'oppose à l'extraction des principes actifs.

VERMIFUGE

Se dit des plantes qui aident à expulser les vers intestinaux.

VOIE ORALE

Se dit de tous les produits que l'on absorbe par ingestion puis digestion. Les principes actifs passent dans le sang à travers les parois de l'intestin.

VOIE PERLINGUALE

Se dit de tous les remèdes que l'on absorbe en les laissant fondre sous la langue. La forte vascularisation de cette région permet aux principes actifs les plus fragiles de pénétrer dans le réseau sanguin à travers les fines parois des vaisseaux, sans être

dénaturés par la digestion.

VOIE RESPIRATOIRE

Se dit des remèdes que l'on absorbe par la respiration, les principes actifs passant dans le sang en même temps que l'oxygène à travers

les fines parois des alvéoles pulmonaires.

VOIE TRANSCUTANÉE

Se dit des remèdes que l'on applique sur la peau et dont les principes actifs passent dans le sang à travers le réseau sanguin de l'épiderme et du derme.

Ces plantes qui nous veulent du bien

Découvrir ⟫ 2 à 12
Les plantes

Savoir ⟫ 13 à 48

La phytothérapie occidentale s'adapte aux exigences du temps qui passe   **14**

Il était une fois une belle plante élégante et fine...   **14**

Toute la complexité du vivant au service de la santé   **17**

Plantes héroïques et plantes douces   **18**

La connaissance ancestrale des plantes serait-elle née de l'observation des animaux ?   **19**

Les leçons des papyrus Égyptiens   **20**

Hippocrate et Galien : les précurseurs de la médecine moderne   **20**

Chine ancienne : la signature énergétique des plantes   **23**

Le jeu subtil des saveurs : trouver la plante pour rééquilibrer une rupture énergétique   **25**

Un pont entre Orient et Occident   **26**

La tradition ayur-védique : des pratiques prophylactiques et thérapeutiques   **28**

La médecine du toit du monde   **31**

Le chamanisme : l'esprit des plantes   **33**

Pendant ce temps en Europe...   **34**

Paracelse ou la théorie des signatures   **36**

Hahnemann : l'intuition de l'infiniment petit   **39**

De l'homéopathie à l'anthroposophie   **39**

L'homme et la plante : deux alter ego   **40**

Edward Bach : l'essence subtile des fleurs   **43**

Les plantes se parlent silencieusement   **44**

les médicaments de l'occident viennent des forêts tropicales   **47**

L'imagination des chercheurs ne pourra jamais égaler la créativité de la nature   **47**

les médicaments de demain   **48**

Voir ⟩⟩ 49 à 70

Sur les traces des chamans

Comprendre ⟩⟩ 71 à 102

La plante dans tous ses états	**72-73**
Les utilisations traditionnelles	**74-75**
Les bienfaits du thé	**76-77**
Les modes de conditionnement modernes	**78-79**
Les plantes antistress	**80-81**
Le millepertuis : plante antidéprime	**82-83**
Les plantes préférées des scientifiques	**84-85**
Les poumons de la planète	**86-87**
Les huiles essentielles : des concentrés de plantes	**88-89**
Comment utiliser les huiles essentielles ?	**90-91**
Les massages aux huiles essentielles	**92-93**
Les plantes des bronches	**94-95**
Les plantes du système circulatoire	**96-97**
Les plantes de la digestion	**98-99**
Les plantes de l'élimination	**100-101**
Quelques plantes très utiles	**102**

Trouver ⟩⟩ 103 à 125

Le Gland et la citrouille	**104-105**
Les langages secrets de la nature	**106-107**
Êtes-vous coquelicot, palmier ou lavande ?	**108-111**
La fin des idées reçues	**112-113**
Les huiles essentielles	**114-115**
Les 38 élixirs floraux du docteur Bach	**116-117**
Bibliographie	**118-119**
Adresses et sites internet	**120-121**
Glossaire	**122-125**

Crédits